대박·대운 열어주는

궁합

대박·대운 열어주는

궁합

| 오희규 외 지음 |

book*in*

행복한 삶을 찾는 사람들을 위하여

대부분의 사람들이 살아가면서 행복을 추구하고 더 행복해지기 위하여 노력한다. 그럼에도 자신있게 자신이 행복하다고 말할 수 있는 사람은 생각보다 많지 않다. 그만큼 삶에는 수많은 난관과 장애가 따른다.

의지만으로는 안 되는 게 인생이다. 하루하루 빠르게 변하고 그 속도만큼 크고 작은 변수와 사건들이 눈앞에서 펼쳐지면서 어떤 사람은 현명하게 잘 처리하고 어떤 사람은 그로 인해 회복할 수 없는 상태가 되기도 한다. 한치 앞을 모르고 살아가야 하는 것이 우리 인생이다. 그래도 죽어라고 앞을 보고 달려야 하고 최선을 다해야 한다. 물론 그렇게 한다고 행복이 보장되는 건 아니지만 좀 더 가깝게는 갈 수 있을 거라는 믿음 때문이다.

그렇다면 행복은 어디에 있는가? 누가 행복한 삶을 사는가?

이 책은 그런 고민에서 기획되었다. 모두가 행복한 삶을 원하는데 도대체 왜 이토록 행복은 손에 잡히지 않는가 묻는 이들과 함께 그 길을 찾아보려고 만들어진 것이다.

우선 이 책은 "인간의 삶과 궁합의 관계를 역학적인 관점에서 풀어 본

것"이다. 궁합에는 흔히 생각하는 남녀 간의 궁합만 있는 것이 아니다. 살아가면서 만나게 되는 모든 방면에 궁합의 역학 관계가 작용되어 긍정적 혹은 부정적 결과를 초래한다고 역학자들은 말한다.

　이 책에서는 그런 점에서 각 분야의 전문적 식견과 판단력을 지니고 있는 여섯 분의 역학자들에게 살아가면서 중요하게 영향을 미치는 궁합 관계에 대한 조망을 부탁하여 이 책이 나오게 되었다.

　〈궁합을 알면 인생이 보인다〉를 쓴 역학자 오희규는 인간의 궁합 관계와 살성 연구에 뛰어난 실력을 갖추었다. 전라도 광주시 외곽에 위치한 그의 상담실은 늘 두세 명 이상의 직원을 두고 있을 정도로 전국에서 찾아오는 상담자들로 분주하다. 이 책에 궁합과 살성의 원리를 잘 설명하고 있다.

　〈인간관계를 푸는 키워드, 궁합〉을 쓴 김애영은 인간 관계에서 드러나는 궁합의 원리를 명리학적 관점으로 매우 재미있고 능수능란하게 다루고 있다. 특히 국내외 유명인들의 성공과 실패의 배경에 어떤 사람과의 궁합 작용이 있었는가를 명쾌하게 설명하고 있다.

〈애정과 결혼에 관한 궁합〉을 쓴 김정섭은 얼마 전에 대통령 선거를 앞두고 벌어진 역학자들 간의 예측 논쟁에서 이명박 대통령 당선의 이유와 그 배경을 가장 정확하게 예견한 것으로 유명하며, 최근에는 SBS 〈일요일이 좋다〉의 '골드미스가 간다'에서 여성 출연자들의 애정 궁합을 봐 주면서 그 정확도에 다시 한 번 화제를 일으키기도 했다.

〈비즈니스 성공 좌우하는 브랜드 네이밍〉을 쓴 박규태는 대학원에서 성명학을 전공한 대표적인 성공학 연구학자이며 특히 비즈니스 분야의 브랜드 네이밍을 작명학과 연관시킴으로써 이 분야의 선두자로 알려져 있다.

〈육임으로 보는 사업 궁합〉을 쓴 이우산은 육임학에 관한 정확한 이론 정립에 한 획을 긋고 있는 올곧고 젊은 역학자로 육임이 가진 정확한 예측적 판단을 사업 분야와 연관하여 사업의 성패 여부를 설명하였다.

〈인간과 궁합, 성명과 궁합〉을 쓴 김백문은 오랜 역학 공부를 통하여 자타가 인정하는 실력을 갖추고 있으며, 이 책에서는 우리 주변에서 왜 궁합이 필요하고 성명 궁합은 어떤 작용을 하는지 등에 관하여 자세하면서도 쉽게 설명하고 있다.

행복은 누가 선사할 수도 있는 것도 아니고 대신 만들어 줄 수 있는 것
도 아니다. 그렇지만 이 책을 읽다 보면 삶에 대해 겸허하게 받아들여
지는 부분과 삶을 바라보고 헤쳐나가는 관점이 조금은 달라질 것이다.
　이 책을 읽고 행복한 삶의 이치를 깨달아가는 데 작은 단초라도 되기
를 바란다.

2009년 5월 단오

| 차례 |

PART 1

오희규

궁합을 알면
인생이 보인다

백암 철학원 원장. 전남매일신문 '오늘의 운세' 담당. 전 〈행복채널〉 발행인.
저서 『운명』 『사주, 궁합, 살성 이야기』
사이트 : http://0622666693.web.080114.net
전화 : 062-266-6693

❀ 인생과 궁합

　최근 1~2년 사이에 감소하긴 했지만 우리나라의 이혼율은 수 년 전까지만 해도 세계에서 선두를 다툴 만큼 심각했다. 전체적으로는 이혼율이 줄었지만 24세 이하 부부의 이혼율은 전체 평균 이혼율의 10배나 될 정도로 늘었다고 한다. 통계청에 따르면 2007년 24세 이하 남성의 이혼율은 1000명 당 48.3건이나 되었다. 쉽게 결혼을 결정하였다가 조금만 안 맞아도 이혼을 하는 것이 젊은 세대의 결혼관이 되고 있다.

　이혼율이 늘어나고 불화를 겪는 부부가 많아지면서 궁합의 중요성이 새삼 부각되고 있다. 사람들은 이혼하는 부부를 보면서 역시 궁합의 문제라고 생각하기도 한다. 그러다 보니 결혼 전에 궁합을 보았다가 안 좋다는 이야기를 듣고는 헤어지기도 하고, 궁합을 신봉하는 집안 어른들의 반대에 부닥치기도 한다.

　"너희 둘이 물과 불이래. 그러니 결혼했다가는 늘 불화가 끊이질 않을 거란다."

　"그럴 줄 알았어. 궁합이 안 좋다는 걸 무릅쓰고 결혼하더니 신랑이 작년에 교통사고를 당해 아직도 병원에 있다는군."

부부 사이가 좋든 나쁘든 궁합 문제가 끊임없이 사람들 입에 오르내리고 있는 것으로 봐서도 사람들 사이에서 궁합이 어떤 의미를 지니고 있는지 알 수 있다. 행복한 결혼을 꿈꾸지 않는 사람은 없다. 누구나 결혼할 배우자와 궁합이 잘 맞는 사람이기를 바란다. 그러나 지금 이 순간에도 어떤 남녀는 결혼식장으로 들어가고 있고 또 어떤 부부는 이혼하기 위해 법원으로 향하고 있을 것이다.

만나고 사랑하고 헤어지는 이 모든 것이 정말 궁합 때문일까. 그렇다면 궁합이 좋은 부부는 살면서 아무 문제없이 늘 알콩달콩하기만 하고, 궁합이 나쁜 부부는 결국 모두 헤어지게 되는 걸까?

"결혼에 있어서 궁합은 절대적인 건가요?"

사람들은 종종 나에게 이런 질물을 던지곤 한다. 그럴 때마다 난감해지는 것이 사실이다. 사실 궁합에 관한 큰 원칙은 맞지만 타협의 여지가 전혀 없는 것은 아니기 때문이다.

흔히 결혼을 하게 되면 사주와 궁합을 봄으로써 남녀 두 사람의 인연의 좋고 나쁨을 헤아리게 된다. 본인과 상대자의 사주를 짚어서 나오는 결론을 조합하여 상대와 맞추어 가는 것이 궁합이다.

궁합은 단지 서로에게 좋다 나쁘다의 흑백 논리를 떠나 어느 한 명이 또 다른 배우자를 얼마나 보완하는 협조자가 될 수 있는지, 상대방을 해하거나 다치게 하지는 않는지, 서로를 상승시켜 줄 수 있는 관계인지 아닌지 등등을 살펴야 한다.

모든 삼라만상에는 음과 양, 하늘과 땅, 동적인 것과 정적인 것, 흐르는 것과 멈춰 있는 것, 딱딱한 것과 부드러운 것, 뜨거운 것과 차가운 것 등 등의 양극의 성질이 공존하고 있다. 이런 양면의 성질은 서로를 해할 것 같지만 이 둘이 서로 조화하고 유기적으로 순환하면서 큰 하나를 이룬다고 할 수 있다. 그러므로 부부든 인간 관계든 서로 맞는다, 맞지 않는다의 개념으로 단순하게 볼 수 없는 것이다.

흔히 궁합이라고 하면 남녀의 애정관계에 한정해 생각하게 된다. 그렇지만 궁합의 문제는 비단 남녀에게만 국한되는 것이 아니다. 모든 인간 관계에서 적용되고 활용되는 개념이 곧 궁합이다. 남자와 여자, 양과 음의 관계에 어떤 질서와 개별마다의 적용 사례가 다르다는 말은 인간사의 모든 관계에서도 그와 같은 합의 규칙이 있다는 것이다.

그래서 한 집안에서도 어떤 자식은 부모와 잘 맞고 또 어떤 자식은 틀어지는가 하면, 직장 내에서도 자신과 유독 잘 맞는 사람이 있는가 하면 이유 없이 매사 마찰이 생기는 사람이 있다. 이런 모든 게 나와 상대방의 궁합의 맞고 안 맞고의 영향 때문이다.

부부의 연을 맺는 데에 있어서 좋은 궁합이란 각자 좋은 사주를 타고 난 사람들끼리의 만남을 의미하는 것이 아니다. 어느 한쪽이 어떤 부분에서 부족한 부분이 있으면 그것을 상대가 채워줄 수 있고 또 그 상대의 넘치는 기운을 또 다른 한쪽이 눌러줄 수 있으면서 서로 보완의 관계로 이어진다면 이런 부부는 잘 맞는 것이다.

일반적으로 남성은 양의 기운이 여성은 음이 기운이 흐르므로 결혼할 여자는 양의 기운이 왕성한 남자를 만나면 음양의 조화가 잘 이루어져 부부간의 화합을 도모할 수 있다.

그런데 음양의 조화가 잘 이루어지지 않는 남녀가 만나 부부의 연을 맺었다면 서로에게 충실하지 못하고 매사에 불화를 겪게 될 확률이 많아지는 것이다. 그러므로 자신의 기운과 잘 맞는 상대를 만나야만 불화를 줄이기도 하고 자녀에게도 좋은 영향을 줄 수 있는 것이다.

그렇다고 궁합만 좋다고 부부가 되면 잘 살 수 있다는 것은 아니다. 궁합이 좋아도 부부의 인연수가 없으면 결혼으로 이어질 가능성이 희박하다. 평생 사네 못 사네 하면서 하루가 멀게 싸우면서도 끝가지 해로하는 부부는 부부 인연수로 맺어졌기 때문이다.

결혼식을 올리면서 신랑과 신부는 모두 사이좋게 해로하면서 사는 것을 바란다. 그렇지만 결혼생활이 오래 되다 보면 부부간의 애틋한 정은 사라지고 소위 '자식 때문에' 헤어지지도 못하고 산다고 하소연하는 부부들이 많다. 그러면서 나이 지긋한 부부가 서로의 손을 잡고 산책하는 모습을 보면 "부부라면 저렇게 늙어가야 하는데" 하면서 부러워한다.

사실 이런 부부라고 마냥 즐겁고 행복하지만은 않다. 세상의 어떤 부부도 갈등 없이 하나에서 열까지 모두 잘 맞는 부부는 없다. 서로 맞추려고 노력하고 애쓰는 부부가 행복도 개척할 수 있는 것이다. 궁합이 아무리 나쁘다고 해도 서로의 의지로 노력하고 상대방을 위해 자신이 양보하고 고개를 숙인다면 갈등과 불화는 훨씬 줄어든다.

부부에게 있어서 좋은 궁합이란 남녀의 오행을 혼합했을 때 오행이 조화를 이루어야 하고, 남녀의 일주가 상호 천지 덕합을 이루어야 하고, 남녀 사주가 상호 보완하는 관계에 있어야 한다. 결혼할 남녀의 궁합을 보기 위해서는 두 사람의 생년월일시를 정확하게 알아서 각자의 사주를 풀어본다. 그런 다음 상대방의 사주와 맞추어 서로에게 어떤 영향과 작용을 주고받을 수 있는 관계인지를 알아봐야 한다.

궁합이 나쁜 부부가 만나면 아무래도 갈등과 불화의 요인은 다른 부부보다 많아질 수밖에 없다. 그러나 그걸 미리 알고 서로 조심하고 양보한다면 부부에게 그만큼의 우산이 씌워지는 셈이다. 비바람이 몰아칠 때 그것을 못 오게는 할 수 없다. 그러나 우산을 쓰고 우비를 입는다면 충격은 줄어든다.

부부의 노력은 이처럼 서로의 의지 하에 우산을 만들기도 하고 원래 있던 우산을 망가뜨리기도 하는 것이다. 부부만 그런 것은 아니다. 지구상에는 많은 사람들이 살고 있고 그들은 나와 무엇도 같지 않은 사람들이다. 그러니 누구를 만나도 내 마음과 똑같을 수 없다. 부모는 물론 형제끼리도 때때로 불화를 겪는데 타인과의 관계는 오죽할까. 그래서 인생을 살다 보면 싸움도 있고 분쟁도 있고 송사도 있는 법이다.

결국은 어떤 일에 대한, 어떤 사람에 대한, 어떤 상황에 대한 궁합의 문제라고 볼 수 있다. 인생을 살아간다는 것은 결국 모든 궁합의 열쇠를 하나씩 풀어나가는 것이라 하겠다.

❀ 행복한 가정을 이루려면 이기심부터 버려야 한다

사람은 누구나 태어나면서 행복하게 살 권리가 있다. 행복을 원하는 것은 인간의 본능이며 궁극의 목표이기도 하다. 그런데 이 생에서 나는 어쩌다가 남의 사주와 팔자를 봐주는 사람이 되어 이런 일을 하고 있다. 그러다 보니 부부의 궁합도 헤아릴 수 없이 봐 주게 되었다. 궁합 중에는 원진살과 충살이라는 게 있는데 부부에게 이 살이 있으면 화목하게 살기가 어렵다.

한 번은 이런 일이 있었다. 그날은 금방이라도 비가 쏟아질 듯 하늘이 잔뜩 찌푸린 날이었는데 그런 하늘만큼이나 어두운 안색을 한 여인이 찾아와 자신과 남편의 궁합을 봐 달라고 했다. 그래서 살펴보니 부부 사이엔 원진살과 충살이 한꺼번에 들어 있었고 전체적인 속궁합도 맞지 않아 평상시에도 그렇거니와 침실에서도 사이가 원만하지 않을 부부였다. 결혼할 때 궁합을 보지 않았느냐고 물었다. 그러자 부인이 말했다.

"물론 보았지요. 서로 선을 통해 만났기 때문에 연애도 없었어요. 궁합을 보니까 나쁘다고 나왔지만 남편 될 사람의 집안이 기독교 집안이라서 궁합 자체를 믿지 않더라고요. 그래서 저는 궁합이 나쁜 걸 알았지만 결혼해서 아이 낳고 살면 결혼생활이 이어지는 거라고 안일하게 생각했어요."

그 부인은 딸만 여섯 있는 집안의 둘째로 어렵지 않은 집안 형편에서 자라 대학 2학년 때 가난한 남학생을 사귀게 되었다고 한다. 그 남학생은 어려운 환경이었지만 고시공부를 하면서 미래의 꿈을 키워나가는 똑똑한 청년이었다. 여자는 대학을 졸업한 뒤에는 회사에 다니면서 그 남자의 고시 뒷바라지를 5년이나 했는데 불행하게도 남자는 계속 낙방하였다.

그러는 사이 여자는 혼기가 꽉 차서 집안에서 결혼을 독촉하게 되었고 남자의 연이은 고시 낙방으로 남자의 집안 형편까지도 더불어 여자가 살펴야 하는 처지가 되고 말았다. 그러나 여자의 능력에는 한계가 있었다. 남자네 가족은 평범한 여자에게 만족하지 못한 채 고시 뒷바라지를 더 잘해줄 수 있는 부잣집 딸과 결혼을 시키기 위해 맞선을 강요하고 남자 또한 우유부단하게 끌려 다니고 있었다.

결국 배신감을 느낀 여자는 자신도 좋은 남자와 결혼을 해야겠다고 생각해서 건물을 두 채나 소유하고 있는 돈 많은 남자와 선을 보게 되었다. 남자의 적극적인 구애로 결혼을 결심한 뒤 궁합을 보니 결혼하지 않는 게 좋겠다는 말을 했다. 그러나 여자는 사귀던 남자에 대한 배신감에서 하루빨리 벗어나고 싶었고 궁합이 뭐 별 건가 애 낳고 정 들면 살아지는 거지 하는 생각을 했다.

그러나 결혼생활이 시작되면서 자신의 생각이 오산이었다는 걸 깨닫게 되었다. 결혼한 남편과 도무지 사는 재미가 없고 옛날 남자가 하루에도 몇 번씩 눈앞에서 아른거렸다. 밤이 되면 남편과 한 잠자리에 드는 게 끔찍이도 싫어서 공연한 핑계를 대며 다른 방에서 자곤 하였다. 그러자 남편 또한 점점 여자에게 트집을 잡는 일이 많아지고 손찌검까지 하는 상황이 되었다.

그런 불행한 결혼생활을 해나가던 중에 하루는 백화점에 쇼핑을 가게 되었다. 그런데 우연히 그곳에서 옛날 남자와 마주치게 되었고 차를 마시게 되었다. 남자는 그 사이에 고시에 합격해서 연수중이었고 부모님의 극성에 수 차례 선을 보았지만 마음에 드는 여자가 없어 여전히 미혼이었다. 그러면서 여자에게 다시 돌아오라고 애원을 했다.

결국 여자는 그걸 뿌리치지 못하고 남편 몰래 옛 애인과 밀회를 즐기게 되었다. 그러면서 남편에 대한 죄책감과 함께 애정 없는 결혼생활에 종지부를 찍어야겠다는 결심으로 남편에게 이혼을 요구했다. 그러자 남편은 이혼은 절대로 할 수 없다고 하면서 오히려 아내의 뒷조사를 하기 시작했다. 그걸 눈치 채고 여자는 애인을 몰래 만나지도 못하고 그렇다고 남편에게 다시 마음이 가지도 않고 고민만 하다가 나를 찾아온 것이다.

여자는 자기 이야기를 솔직하게 다 털어놓은 뒤 긴 한숨을 내쉬었다. 그러면서 어렵게 다시 입을 열었다.

"선생님, 그래서 제가 마음을 졸이다가 이렇게 찾아온 이유는 다름이 아니라, 선생님에게 부적을 부탁하기 위해서입니다. 선생님 부적은 효험이 좋다고 하니 저에게 남편과 헤어질 수 있는 부적을 써주세요."

여자의 방문 목적이 그런 불순한 데에 있다고 생각하니 마음이 좋지 않았다.

"부인은 지금 남편에게 미안하지도 않나요?"

"남편도 알고 보면 불쌍한 사람이라는 걸 제가 왜 모르겠어요. 저 같은 여자를 만나서 따뜻한 사랑도 못 받아보고…. 그렇지만 저도 제 마음대로 안 되니 어쩌겠어요. 헤어지는 수밖에요."

나는 부인의 얼굴을 다시 쳐다보았다. 원래부터 나쁜 사람이 어디 있으며 이 부인이라고 자기 남편을 나쁘게 하려고 이런 생각을 하게 되었을까 하는 생각에 이렇게 말했다.

"부인은 지금까지 한 번도 남편과 사이가 좋아지려고 노력한 적이 없습니다. 그저 부인은 자기 마음과 형편 때문에 남편을 이용하려고만 했지요. 옛 애인과 그의 가족이 부인을 배신하자 결혼은 남부럽지 않은 사람에게 가고 싶고 하는 욕심에서 남편을 희생양으로 삼은 겁니다. 그러고선 다시 옛 애인을 몰래 만나 밀회를 즐기면서 그 핑계로 남편과의 나쁜 궁합 때문에 헤어지는 거라고 말하고 싶은 겁니까? 나는 평생 나쁜 살성을 막기 위해 공부하고 부적을 써왔지 남을 해치는 부적은 써본 적이 없습니다. 남편과 사이를 회복시키게 하는 부적이 아니고 떼어버리게 하는 부적을 써달라니 그게 말이나 됩니까? 궁합이라는 것은 나쁘면 서로 노력하고 고치고 양보해서 잘 맞춰 살라는 것이지 나쁘다고 해서 무조건 헤어지라는 것이 아닙니다. 지금 남편과 헤어지고 옛 애인과 다시 만나 산다면 행복할 것 같아요? 그러니 무조건 헤어질 생각부터 하지 마시고 자신의 잘못부터 되돌아보고 반성하세요. 설혹 당분간은 남편이 부인에게 나쁘게 대하더라도 내가 지은 잘못에 대한 대가려니 생각하고 순순히 받아들여 보세요. 그렇게 하면 분명히 좋은 결과가 있을 겁니다. 제가 부적을 써주긴 할 건데 남편과 헤어지라는 부적은 아니올시다. 두 분의 사주엔 귀자살이 있어 아들이 장차 귀하게 될 팔자이니 두 분에게 있는 살성을 풀어서 자식도 잘 낳고 행복하게 살라는 부적을 써 드릴 것입니다. 그러니 일단 제 뜻을 따라 마음을 고쳐먹고 살아 보시기를 권해 드립니다."

부인은 나의 단호한 태도에 잠시 고개를 숙이고 있더니 내가 써준 부적을 받아들고선 가방에 넣은 뒤 마침내 무언가를 결심한 사람처럼 자리에서 벌떡 일어났다.

"선생님 잘 알겠습니다. 안녕히 계세요."

그 부적을 갖고 내 말대로 따를지 아니면 끝까지 자기 남편과 갈라서고 옛 애인을 찾아 떠날지는 그 부인에게 달린 것이었다. 그런데 일 년쯤 지났을 무렵 그 부인의 시누이 되는 사람이 선물상자를 들고 찾아왔다. 웬 선물이냐고 하니까 시누이 되는 사람이 말했다.

"제가 결혼을 앞두고 궁합을 보려고 한다니까 저의 올케언니가 선생님을 추천하면서 이 선물을 갖다 드리라고 했습니다. 선생님 덕분에 제 오빠 내외는 사이가 좋아졌습니다. 이번에 언니도 같이 오려고 했는데 사실은 언니가 임신 8개월째예요. 그래서 저만 왔습니다."

반가운 마음에 선물을 열어보니 잘 빚은 술과 백화점 상품권이 들어 있었다. 그리고 메모지가 있었는데 이렇게 쓰여 있었다.

〈선생님 덕분에 제 가정을 지킬 수 있었습니다. 선생님은 노력 없이 행복은 오지 않는다는 교훈을 주셨습니다. 지금 남편과 저는 매우 행복합니다. 모두 선생님 덕분입니다.〉

메모지를 보면서 입가엔 저절로 미소가 번졌다. 결국 부인이 내 깊은 뜻을 이해하고 자신의 가정을 지키려는 노력을 해주었다는 사실이 고맙고 반가웠다. 부인이 나에게 찾아왔던 애초의 의도대로 남편과 헤어지고 옛 애인과 살았다면 과연 행복했을까? 나는 절대로 아니라고 생각한다. 현재의 삶에 충실하지 못하고 노력하지 않는 사람은 다른 상황에서도 마찬가지이다. 가정을 지키려는 그녀의 노력이 그녀의 가정을 지켰다고 믿는다.

❀ 나를 낮추고 상대를 존중하면 행복해진다

어느 해 여름이었다. 한창 뜨거운 오후 두 시에 중년 부인이 사무실 안으로 들어섰다. 살이 많이 찌지도 않았는데도 유독 땀을 흘리면서 더워 어쩔 줄을 몰라 했다. 선풍기 바람을 돌려준 다음 얼음물을 내놓았다.

잠시 땀을 식힌 부인은 나에게 남편과 자신의 생년월일이 적힌 종이를 내놓았다. 두 사람 사주를 풀어 보니 남편에게 크게 안 좋은 일이 있는 수였다.

"작년에 아주 힘든 일을 겪으셨군요."

그 말에 부인이 기다렸다는 듯이 긴 한숨을 내쉬었다.

"네, 맞아요. 작년에 남편이 세상을 떴습니다. 결혼 전에는 건강하던 사람인데 저와 결혼하고부터 시름시름 앓고 당뇨병으로 고생하다 퇴직한 돈까지 병원비로 다 쓰고 빚까지 남긴 채 떠났어요. 지금 아들 셋이 다 대학을 다니는데 어떻게 살아야 할지, 장사를 하면 뭘 해야 할지 막막해서 선생님을 찾아왔습니다."

딱한 사정에 조심스럽게 부부의 궁합에 대해 설명해 주었다. 두 사람은 궁합이 아주 좋지 않았다. 사주에 남편은 약한 금(金)의 기운을 타고났는데 아내는 강한 불(火)의 기운이 차지하고 있었다. 그러니 화극금(火克金)의 형국이 되어 아내의 기운에 남편의 기운이 꺾일 수밖에 없었다. 어느 정도의 나쁜 궁합은 부부간에 노력하여 극복할 수 있다지만 아내의 사주엔 남편을 누르는 천공살과 재앙살, 그리고 비두살까지 들어 있었다. 진작에 찾아왔더라면 남편이 세상을 뜨는 비극까지는 막을 수 있지 않았을

22

까 생각하니 안타까웠다. 어차피 떠난 사람이라면 이제 부인과 아들들의 생활이 문제였다. 산 사람은 살아야 하지 않겠는가.

"부인은 더위를 많이 타고 머리로 항상 열이 솟구치며 성격도 급한 편이시군요. 항상 머리가 무거우며 호흡 계통의 병을 앓고 있고요. 그리고 지금은 무슨 장사를 해볼까 생각 중에 있는 거군요."

"어머나, 어떻게 그렇게 잘 알아맞히세요? 선생님 말씀이 다 맞아요. 전 열이 너무 많아서 여름은 정말 견디기가 어렵고 또 항상 머리도 아프고 무겁고 환절기엔 기침병이 도져서 고생하지요. 그리고 말씀대로 지금 남은 집이라도 팔아서 다방이나 술집이라도 하려고 고민 중이에요."

나는 부인에게 아들 셋은 현재 학생들이지만 어머니와 자식들의 합이 좋아서 조금만 지나면 말년에 아들들로부터 호강을 받게 될 거라고 말해 주었다. 그리고 부인에게는 불기운과 비두살이 누르는 것을 더 이상 견뎌내지 못하고 자구책으로 물 기운을 찾을 때가 되었기에 장사를 할 시기가 되었다고 말해 주었다.

부인은 가게 자리를 알아보러 다니는 중인데 식당과 다방 자리 중에서 다방 자리에 마음이 간다고 했다. 식당은 새 건물이라 비싸고 다방은 경험이 없어도 될 것 같다는 생각에서였다.

업종을 무엇으로 할 것이냐를 놓고 갈림길에 있으니 한마디로 부인에게는 중요한 순간인 것이다. 나는 다시 설명을 해 주었다.

"부인은 자식들이 자립할 때까지 몇 년간은 물장사를 해야 할 팔자인데 부인의 사주에 뜨거운 기운이 많으니 찬 음식 장사가 적격이에요. 그러면 마음도 안정되고 돈도 벌 수 있을 겁니다. 머리도 자연스레 덜 아프게 되고요. 제 생각엔 냉면집 같은 게 좋을 것 같은데 어떻게 생각하시는지요?"

내 말에 부인은 고개를 끄덕였다.

"선생님 말씀을 들어보니 생각이 바뀌네요. 우선 아들들하고 상의해 보겠습니다."

그렇게 돌아간 뒤 한 달쯤 지났을 때 그 부인에게서 전화가 왔다. 며칠 뒤에 냉면 식당을 여니까 와서 축하도 해주고 냉면 맛도 보라는 소식이었다. 나는 기꺼이 개업 날에 식당에 찾아갔다. 냉면은 맛이 아주 좋았다.

그 이후로 가능하면 손님들을 데리고 가서 냉면을 팔아 주었다. 식당은 맛좋다고 소문이 나면서 나날이 번창하여서 몇 번이나 큰 장소로 옮기기도 했다. 그 부인은 식당 여사장으로서 점점 자리를 잡아갔고 어느새 얼굴에는 여유와 느긋함이 묻어나고 있었다. 물론 내가 갈 때마다 칙사 대접을 해주었고 많은 상담 손님들을 소개시켜 주었다.

처음에 찾아올 때엔 남편을 잃고 빚 걱정과 아들들 부양에 한숨이 절로 나왔지만 식당을 연 지 일 년도 안 되어 빚을 다 갚고 새집까지 구입을 하였다고 하니 나로선 큰 보람이었다. 게다가 큰아들이 고시에 합격하는 경사까지 맞이하였다.

그런데 하루는 그 식당 여사장의 소개로 왔다면서 그 식당의 건물주인한 부인이 다른 여자들을 대동하고 찾아왔다. 건물 주인은 자리에 앉자마자 거만한 태도로 내 앞에 돈을 꺼내 놓으면서 이렇게 말했다.

"내가 데리고 온 사람들 상담료까지 내가 지불할 테니 한 명씩 좀 봐주세요. 저는 맨 나중에 보겠어요. 저는 선생님이 대단한 분이라고 해서 혹시나 하고 찾아온 거에요. 저는 그 동안 유명하신 선생님들을 워낙 많이 만나 봐서 실력이 있는지 없는지 판단할 수 있거든요."

여자의 말에 화도 나고 어이도 없었지만 식당 여사장을 생각해서 내색을 하지 않았다. 차례대로 함께 온 여자들을 봐준 다음 마지막에 건물 여주인과 상담을 시작했다. 남편과의 사주를 맞추어 보니 살성이 들어서 대번에 불길함이 전해졌다.

"부인의 남편은 건축 계통의 일을 하는군요. 돈도 잘 벌고 하지만 성격이 아주 급해서 속병이 좀 있겠습니다. 최근 들어서 부인과 자주 다투지 않았는지요?"

내 말이 끝나기도 전에 여자가 비아냥거리는 말투로 말했다.

"그런 하나마나한 소리는 누구나 하는 거 아닌가요? 남편이 건축으로 돈을 좀 버니 바쁠 것은 뻔하고 바쁘다 보니 성격도 급해지고 사업을 하니 신경 쓸 일이 많아 속병이 있을 테고, 부부간에 다툼은 흔한 일이고요. 그런 뻔한 거 말고 제가 알고 싶은 것은 말이지요…."

나는 여자에게 급한 성격을 좀 다스리지 않으면 큰일이 있을 거라는 말을 하려던 참이었는데 결국 여자가 조급하게 다 듣기도 전에 내 말을 막은 것이다. 나는 여자의 무례한 태도에 마음이 상했지만 다시 태연하게 설명을 이었다.

"이대로 가다가 남편 분에게 큰일이 닥칩니다. 다치는 정도가 아니라 목숨을 잃을 수도 있습니다. 부인의 사주에 있는 센 기운과 살성이 남편의 기운을 누르고 건드려서 마음을 조급하게 만들고 곤경에 빠뜨리게 하기 때문입니다. 남편의 화기가 지금 머리끝까지 치솟아 있어요. 아주 위태로운 시기이니 부인이 남편한테 지는 마음으로 순종을 해 주셔야 이 위기를 피해갈 수 있습니다."

여기까지 말했을 때 여자의 얼굴은 이미 벌개져서 거친 숨을 몰아쉬고 있었다. 그러면서 자리에서 벌떡 일어나 언성을 높였다.

"이런 엉터리 같으니라고! 내가 유명하다는 철학관을 다 찾아다녀도 이런 재수 없는 소리는 처음 듣네! 자, 어서들 가자고! 다들 일어나!"

여자는 자기가 데리고 온 다른 사람들을 서둘러 데리고 사무실을 나가버렸다. 다음 날 냉면을 먹으러 갔더니 식당 여사장이 보자마자 나한테 하소연을 했다.

"아니 어제 무슨 일이 있었던 거에요? 갑자기 건물 여주인이 화를 내면서 식당을 비우라는 거에요. 선생님이 자기 팔자가 세서 남편이 곧 죽을 거라고 했다면서 펄펄 뛰는데 어쩌면 좋아요? 내가 자기 망신 주려고 선생님한테 보냈다고 대판 싸웠어요. 그 동안 단체손님 소개도 해주고 임대료도 올리지 않았는데 무조건 나가라고 하니 걱정입니다 선생님."

그 말을 듣고 나니 그 건물 여주인의 심보가 괘씸하기도 했지만 무엇보다도 식당 여사장에게 얼굴을 들 수 없었다. 나야 사실대로 말했다지만 그 화가 식당 여사장에게 번져 가게를 비워주게 생겼으니 죄라도 지은 사람처럼 식당을 빠져나올 수밖에 없었다.

그 이후 식당 여사장의 얼굴을 보기도 그랬거니와 서울에서 새로운 일을 하려고 잠시 고향을 떠나 있게 되었다. 그렇게 삼 년 정도 지나 서울에서의 일들을 정리하고 다시 광주로 와서 사무실을 열고 있었다.

그 즈음 식당 여사장에게서 전화가 왔다. 그 동안 어디 있었느냐면서 내 연락처를 알기 위해 수소문을 하다가 최근에 다시 왔다는 소식을 듣고 전화번호를 알아냈다는 것이다. 나 역시 반가운 마음에 사무실에 들르라고 했고 식당 여사장은 다음날 나를 찾아왔다.

삼 년 만에 식당 여사장은 얼굴이 더 좋아지고 여유가 있어 보였다. 그 동안 자식들이 모두 잘 되어서 큰아들은 검사가 되었고 둘째아들은 의사가 되었고 셋째아들은 대학조교로 있다고 했다. 서로 안부를 묻고 나선 여사장은 대뜸 이렇게 말했다.

"선생님 정말 신통방통하세요. 그때 그 일로 저는 가게를 건물주인 여자에게 내주고 나왔지 뭐에요. 그랬더니 그 건물 주인이 직접 냉면집을 하더라고요. 그런데 한 달쯤 지났을 때 전화가 와서는 다짜고짜 숨넘어가는 목소리로 선생님 연락처를 묻더라고요. 그 때 선생님이 서울로 가신 뒤라 저도 연락처를 모른다고 하면서 왜 그러냐고 했더니 글쎄 자기 남편이 자기와 싸우고서 차를 몰고 나갔다가 교통사고를 내서 사람을 둘이나 죽이고 남편도 즉사를 했다는 거에요. 그러면서 진작에 선생님 말에 귀를 기울일 걸 그랬다고 후회를 하더라고요."

내가 예상했던 대로였다. 그 여자는 금 기운이 강하고 천공살과 풍파살과 부덕살이 들어서 나무 기운이 대부분을 차지하던 남편을 해하는 한편 강한 살성으로 남편을 누르고 있었던 것이다. 게다가 그녀는 찬 기운인데 찬 음식까지 팔게 되니 잘 될 턱이 없었던 것이다.

그 후 여자는 남편이 벌어놓은 재산도 차에 치어 죽은 두 사람의 보상비와 빚보증을 잘못 서는 바람에 모두 날리고 지금은 시장에 작은 그릇

가게를 하고 있다는 것이다. 그릇가게는 그녀에게 잘 맞는 일이었다. 게다가 그 동안 여러 일을 겪으면서 다른 사람을 무시하고 거만하기만 했던 언행도 고쳐졌을 게 분명했다.

이와 같이 인생사에 있어서 궁합의 문제는 매우 묘한 이치를 담고 있다. 그렇다고 건물 주인 부부의 궁합이 반드시 남편을 죽일 사주였다고 볼 수는 없다. 그 아내 되는 사람이 남편에게 해가 되는 부분을 누르고 조심하면서 고개를 숙일 줄 알았더라면 그런 비극까지는 겪지 않았을지도 모른다. 고개를 숙일 줄 모르고 타인 앞에서 경거망동하는 사람은 자신의 인생도 나락으로 몰아갈 수 있다는 교훈을 잊지 말아야 한다.

❀ 궁합과 살성 부적

● 육합으로 보는 궁합

지지 육합	해당띠	비고
자축(子丑)	쥐띠, 소띠	서로 결혼하면 길함
인해(寅亥)	범띠, 돼지띠	서로 결혼하면 길함
묘술(卯戌)	토끼띠, 개띠	서로 결혼하면 길함
진유(辰酉)	용띠, 닭띠	서로 결혼하면 길함
사신(巳申)	뱀띠, 원숭이띠	서로 결혼하면 길함
오미(午未)	말띠, 양띠	서로 결혼하면 길함

● 삼합으로 보는 궁합

지지	해당띠		비고
자(子) : 쥐띠	용	원숭이	서로 결혼하면 길함
축(丑) : 소띠	뱀	닭	서로 결혼하면 길함

인(寅) : 범띠	말	개	서로 결혼하면 길함
묘(卯) : 토끼띠	양	돼지	서로 결혼하면 길함
진(辰) : 용띠	쥐	원숭이	서로 결혼하면 길함
사(巳) : 뱀띠	소	닭	서로 결혼하면 길함
오(午) : 말띠	범	개	서로 결혼하면 길함
미(未) : 양띠	토끼	돼지	서로 결혼하면 길함
신(申) : 원숭이띠	쥐	용	서로 결혼하면 길함
유(酉) : 닭띠	뱀	소	서로 결혼하면 길함
술(戌) : 개띠	말	범	서로 결혼하면 길함
해(亥) : 돼지띠	토끼	양	서로 결혼하면 길함

● 원진살로 보는 궁합

(원진관계 – 까닭 없이 미워하며 헤어질 수도 없는 관계)

원진살	띠로 구분	비고
자미(子未)	쥐띠와 양띠	서로 길하지 못함
축오(丑午)	소띠와 말띠	서로 길하지 못함
인유(寅酉)	범띠와 닭띠	서로 길하지 못함
묘신(卯申)	토끼띠와 원숭이띠	서로 길하지 못함
진해(辰亥)	용띠와 돼지띠	서로 길하지 못함
사술(巳戌)	뱀띠와 개띠	서로 길하지 못함

● 형(刑)으로 보는 궁합

범띠, 뱀띠, 원숭이띠(인사신형(寅巳申刑)=지세지형(持勢之刑))

(지세지형은 사소한 일로도 원수가 되고 권리다툼으로 불신, 배신, 이별을 하게 되는 관계이다)

출생띠	상대띠	비고
범띠(寅)	뱀띠(巳)	서로 길하지 못함
뱀띠(巳)	원숭이띠(申)	서로 길하지 못함
원숭이띠(申)	범띠(寅)	서로 길하지 못함

소띠, 개띠, 양띠(축술미형(丑戌未刑)=무은지형(無恩之形))

(무은지형은 은혜를 잊고 배신을 잘하며 사람을 이용하는 것을 말한다)

출생띠	상대띠	비고
소띠(丑)	개띠(戌)	서로 길하지 못함
개띠(戌)	양띠(未)	서로 길하지 못함
양띠(未)	소띠(丑)	서로 길하지 못함

쥐띠, 토끼띠(자묘형(子卯刑)=무례지형(無禮之形))

(무례지형은 예의를 차리지 못하고 광포하며 분쟁을 일으키는 것을 말한다)

출생띠	상대띠	비고
쥐띠(子)	토끼(卯)	서로 길하지 못함
토끼(卯)	쥐띠(子)	서로 길하지 못함

용띠, 말띠, 닭띠, 돼지띠(진오유해(辰午酉亥)=자형(自形))

(자형은 독립심이 결여되고 의지가 박약하며 자해를 서슴지 않는 경향이 있다))

출생띠	상대띠	비고
용띠(辰)	용띠(辰)	서로 길하지 못함
말띠(午)	말띠(午)	서로 길하지 못함
닭띠(酉)	닭띠(酉)	서로 길하지 못함
돼지띠(亥)	돼지띠(亥)	서로 길하지 못함

● 충(沖)으로 보는 궁합

출생띠	상대띠	비고
쥐띠(子)	말띠(午)	서로 길하지 못함
소띠(丑)	양띠(未)	서로 길하지 못함
범띠(寅)	원숭이띠(申)	서로 길하지 못함
토끼띠(卯)	닭띠(酉)	서로 길하지 못함
용띠(辰)	개띠(戌)	서로 길하지 못함
뱀띠(巳)	돼지띠(亥)	서로 길하지 못함

● 파(破)로 보는 궁합

출생띠	상대띠	비고
쥐띠(子)	닭띠(酉)	서로 길하지 못함
소띠(丑)	용띠(辰)	서로 길하지 못함
범띠(寅)	돼지띠(亥)	서로 길하지 못함
토끼띠(卯)	말띠(午)	서로 길하지 못함
뱀띠(巳)	원숭이띠(申)	서로 길하지 못함
개띠(戌)	양띠(未)	서로 길하지 못함

● 해(害)로 보는 궁합

출생띠	상대띠	비고
쥐띠(子)	양띠(未)	서로 길하지 못함
소띠(丑)	말띠(午)	서로 길하지 못함
범띠(寅)	뱀띠(巳)	서로 길하지 못함
토끼띠(卯)	용띠(辰)	서로 길하지 못함
원숭이띠(申)	돼지띠(亥)	서로 길하지 못함
닭띠(酉)	개띠(戌)	서로 길하지 못함

● 살성(殺星)

그 사람의 인생에 나쁜 작용을 하는 살성에는 여러 종류가 있지만 대표적인 것으로는 다음과 같은 것들이 있다.

풍파살(風波殺)

이 살이 끼면 집안에 풍파나 우환이 끊이지 않고 구설이 잦고 부부간에는 이별하기 십상이다. 자신도 모르게 집안에 해를 끼치고 여자의 경우 고부간의 갈등이 잦아 늘 집안이 불화스럽다.

육친살(肉親殺)

육친간에 서로 덕을 못 보게 하는 살성이다. 이 살이 끼면 부모나 형제 간의 재물로 사업을 하면 실패할 확률이 크고 부모로부터 재산을 물 려받아도 그걸 제대로 활용하지 못하고 덕도 보지 못하는 살성이다.

중단살(中斷殺)

이 살이 끼면 학업이나 직업이 끊임없이 중단된다. 공부를 잘하는 사 람이라도 꼭 중간에 중단할 사유가 생기거나 남보다 많은 시간을 필 요로 한다. 직업 역시 늘 불만을 가지는가 하면 수시로 직업을 바꾸 게 되고 유능하다 할지라도 한 가지 일에 전념하지 못한다.

관재살(官災殺)

어떤 일을 잘해 주어도 칭찬은커녕 원망을 듣게 된다. 남의 시비에 참견을 하다가 오히려 자신에게 모든 잘못이 돌아올 수 있다. 아무 리 사소한 시비가 붙었다 하더라도 참견하지 않는 게 좋고 운전하는 사람의 경우에는 매사에 조심해야 한다.

신병살(身病殺)

이 살이 끼면 뚜렷한 병명도 없으면서 늘 여기저기 안 아픈 데가 없 다. 얼굴은 수척하고 눈가가 항상 충혈되어 있다. 작은 충격에도 상 처가 크고 잘 낫지 않으며 약을 써도 잘 듣지를 않는다. 늘 몸이 피 로하고 무엇인가 늘 자기 몸을 짓누르고 있다는 착각이 들 정도이다

겉으로는 건강해 보여도 본인은 늘 눕고 싶고 쉬고 싶어 해서 주변으로부터 게으르다는 소리를 자주 듣는다. 항상 어깨와 목덜미가 뻐근하고 무릎이 아프다.

비두살(非頭殺)

비두살에는 두통, 신경성질환, 정신질환, 노이로제, 호흡기질환, 간질병 등을 앓는 경우가 많고 살성을 풀어주기 전까지 약발도 잘 듣지 않는다. 애들에게 이 살성이 들면 어른들 말을 듣지 않고 반항하며 어른들의 경우 어느 날 갑자기 이상한 행동을 하는가 하면 주변의 조언을 전혀 귀담아 듣지 않는다.

천공살(天空殺)

천공살은 결혼이 힘들고 결혼을 하더라도 불화가 잦아 이혼하게 되는 경우가 많다. 자손이 자신에게 늘 해를 끼치며 매사가 여의치 않고 근심이 끊이질 않는다. 결혼하기로 약조하였다가도 별 이유도 없이 일이 꼬여 깨지는 경우가 생긴다.

● 부적

모든 액운을 미리 알고 다 피해갈 수만 있다면 얼마나 좋겠는가. 그러나 역학자의 역할은 액운을 가르쳐주고 그 피해를 최소화시키도록 도와줄 수는 있지만 그 사람의 인생에 그 액운을 깜쪽 같이 없애줄 수 있지는 않다. 역학자는 인생의 안내자 역할을 하는 것이지 신이 아니다. 부적은 그런 차원에서 예방의 효과를 준다.

부적의 사전적인 의미를 찾아보면 "악귀(惡鬼)나 잡신을 쫓기 위하여 붉은 색으로 야릇한 글자나 모양을 그린 종이로 벽 등에 붙이거나 몸에 지니고 다니거나 함. 신부(神符). 부작(府作)이라고 함"이라고 나와 있다.

부적의 역사는 매우 오래 되었다. 부적은 약 5,000년 전인 중국의 복희씨에서 전래되어 현재에까지 이어 온 성현들의 비방(秘方)이다. 액을 소멸시켜 주는 기능과 당면 문제를 해결해주는 데 도움을 준다. 우리의 역사에서 제일 처음 등장하는 부적은 삼국유사에서 살펴볼 수 있다. 태초에 환인이 환웅에게 천부인을 주어 이 세상에 내려 보냈다는 기록이 있는데 이 천부인에 대한 여러 학설이 분분하지만, 천부인(天符印)은 하늘의 위(位)를 상징하는 세 가지의 인(印)이다.

그리고 신라시대의 처용설화에서 등장하는 팥죽도 한 부적의 일종이며 이후 잡신을 물리치기 위해 처용의 얼굴을 그려 붙인 것은 이미 부적이 상당히 당시에도 파급이 되었음을 시사하고 있다. 신라뿐만 아니고 고구려나 백제 등에서도 부적이 많이 사용되었다는 기록이 있으며 고려와 조선까지 이어져 현재에도 부적이 사용되고 있다.

PART 2

김애영

인간 관계를 푸는
키워드, 궁합

목야 철학원 원장. (전) '월간 역학' 강사.
저서 : 『한수 배웁시다』『명리학의 진수를 논한다』『색깔과 운명』『사주의 골수를 파헤친
다』『사주명리학의 신지식』 등
http://www.ainame.co.kr. 이메일 ainame@empal.com
전화 : 02-915-7468, 016-883-1196

❀ 왜 궁합이 중요한가

인간과 인간 사이에는 늘 관계가 형성된다. 그리고 그 관계는 서로 도움이 되는가 하면 도움은커녕 손해만 보게도 하고, 때론 둘 다 무익할 수도 있다. 그 관계를 설명하고 구분 짓는 것이 바로 궁합이며 부부, 부모와 자식, 군신, 친구, 직장 동료 등등 모든 인간 관계에 주어지는 것이다.

오행에서의 궁합은 서로 부딪쳤을 때 끌어안거나 배척하는 관계가 있고, 서로 어깨를 견주듯 우월을 다투는 관계가 있다. 풀어 설명했을 때 끌어안는 것은 하나가 당기면 하나는 끌려와서 안기고, 배척하는 것은 당기거나 끌려가는 것이 아니라 가까이 오지 못하도록 내치는 것이며, 어깨를 견주는 것은 막상막하를 의미한다.

이것이 상생(相生), 상극(相克), 상비(相比) 관계이다. 글자 그대로 상생은 부모가 자식을 낳고, 상극은 남자가 여자를 제압하며, 상비는 동기간에 서로 치우치지 않으려고 애쓰는 것이다.

이러한 관계에는 즐거움도 있고 슬픔도 있다. 자식이 부모를 봉양하고, 남편이 아내를 보호하며, 동기간끼리 치우치지 않는다면 좋은 궁합이고, 늙은 부모에게 폐를 끼치고 처갓집에 손실을 입히며 동기간에 싸움이 그치지 않는다면 나쁜 궁합인 것이다.

이러한 희비가 오행에서는 극명하게 나타난다. 오행의 관계가 너그러우면 인척간의 갈등이 없지만 그렇지 않다면 인척간에도 얼굴 붉힐 일이 비일비재하다. 궁합의 좋고 나쁜 작용이 혈연지간에도 이럴진대 타인들과의 관계에서는 더욱 치열할 수밖에 없다.

이러한 오행의 관계가 바로 인간 관계이다. 즉 오행의 질서가 인간의 질서이고, 오행은 인간의 마음과 달리 문자로 표현되는 것이므로 미리 읽을 수 있다는 것이다. 오행의 관계가 좋고 나쁨은, 인간의 질서인 궁합이 좋고 나쁨으로 연결됨이 당연하다. 궁합의 길이나 흉에 대해 예방하고 대처한다면 훨씬 순조로운 삶을 이어갈 수 있다.

만나기만 하면 으르렁대고 싸우는 궁합도 오행에서 나타난다. 반면에 가까이 하고 싶은 사람인데도 영 기회가 오지 않는가 하면 가능하면 마주치고 싶지 않은 사람인데도 자꾸만 얽혀가는 사이가 있다. 바로 자기 자신에게 들어 있는 전생의 인연이거나 대운에서 만나는 인연과의 궁합이 언짢았을 때의 현상이다.

사람은 누구에게나 생년월일시가 있다. 이것이 사주이고, 생년월일시 각각에 있는 천간지지에서 지지의 열두 동물이 바로 전생의 인연이다. 예를 들어 2008년 양력 6월12일 오후 6시에 태어났다면 무자년(戊子年) 무오월(戊午月) 계미일(癸未日) 계유시(癸酉時)의 사주가 된다. 쥐띠, 말띠, 양띠, 닭띠가 전생의 인연이고, 현세에서도 밀접한 관계를 맺게 될 인연이다. 모두 가까운 인척으로 포진해 있음을 알 수 있을 것이다.

인척이 아닌 남일지라도 관계를 형성하게 되면 떠나지 못한다. 그럼에도 불구하고 떠난 사람이 있다면 사주에서 이들의 관계가 불편하여 불미한 사건이 생겼던 탓이다.

궁합에는 좋은 궁합이 있고 나쁜 궁합이 있다. 부모나 남편에게 받는 것은 돌려주지 않아도 되므로 즐겁다. 또 내가 주는 것을 받아먹고 쑥쑥 커주는 사람이 있으면 즐겁다. 주고받음이 당당한 모습이므로 좋은 궁합인 것은 말할 필요도 없다. 사주에서는 부모나 남편 되는 오행이 앞에 있고, 자식이나 처가 되는 오행이 뒤에 있을 때이다. 주는 사람은 앞에 서고 받는 사람은 뒤에 서는 인간의 모습과 동일한 것이다.

상대로부터 한 개를 받았는데 두 개를 돌려주어야 한다거나, 줄 것 주면서도 온갖 잔소리를 듣는다면 아무리 거저 받아도 즐겁지 않은 법이다. 부모자식 간에는 자식[食傷]이나 처[財星]가 되는 오행이 부모이어야 하고, 부부궁합에서는 이들이 여자가 되어야 한다. 그렇지 않으면 아무리 키워도 크지 않는 자식이거나 남편 머리꼭대기에 올라앉은 부인이 되기 때문이다.

똑같은 오행으로 부모자식이나 부부지간의 관계가 되면 서로의 높고 낮음이 없어 친구처럼 지내는 면모도 있지만 나쁘게 보면 상하(上下)의 질서가 깨지는 상스러운 점도 있다.

생년월일시로 구성된 사주에는 중량의 차이가 있다. 년은 365일, 월은 30일, 일은 24시간, 시는 2시간이다. 년에서 시로 갈수록 중량은 형편없이 작아진다. 때문에 어떤 만남일지라도 년의 궁합이 좋아야 진정 좋은 궁합이다. 이것을 겉궁합이라고 한다.

❀ 클린턴과 힐러리, 인연인가 악연인가

클린턴 1946년 8월19일

時		日		月		年	
:		乙		丙		丙	
:		丑		申		戌	
甲	癸	壬	辛	庚	己	戊	丁
辰	卯	寅	丑	子	亥	戌	酉
71	61	51	41	31	21	11	01

힐러리 1947년 10월26일

時		日		月		年	
:		戊		庚		丁	
:		寅		戌		亥	
戊	丁	丙	乙	甲	癸	壬	辛
午	巳	辰	卯	寅	丑	子	亥
77	67	57	47	37	27	17	07

남자는 여자를 보호하고 여자는 남자를 보필하며 자식 양육에 최선을 다할 수 있으면 좋다. 그러나 부부 관계는 두 사람만으로 형성되지 않는다. 양가 식구들과 주변 환경의 영향을 받으면서 두 사람에게 내재되어 있던 본성이 드러나게 된다.

그러므로 겉궁합이 좋다는 것만으로는 최선일 수 없다. 즉 배우자에 대한 자신의 위치가 맏며느리 또는 맏사위 사주인지, 둘째나 셋째의 사주인지 확인하여 여기에 맞는 상대를 선택해야 하겠지만, 보통 첫 단추가 잘 끼워지면 다음 단추는 저절로 끼워지듯 겉궁합이 좋아야 됨을 우선한다는 것이다.

국내외 부부의 궁합 중에서 미국의 전 클린턴 대통령 부부의 궁합을 눈여겨 볼 필요가 있다. 클린턴은 백악관 시절 인턴이던 르윈스키와의 부적절한 관계로 국회의 탄핵을 받았음에도 대통령직을 박탈당하지 않았으면서 백악관의 안주인 노릇을 하던 아내 힐러리로부터도 이혼당하지 않았으니 어떤 점에선 최고의 부부 인연이라고 할 수 있다.

특히 최근 대통령 선거에서 고군분투했던 힐러리를 볼 때 두 사람은 부부의 연을 넘어 서로의 권력과 명예를 위한 일에서도 서로 도움을 주고받는 관계라고 할 수 있다.

병술년 개띠인 클린턴과 정해년 돼지띠인 힐러리의 겉궁합은 아주 좋다. 개와 돼지는 한 지붕 아래 기거할 수 있는 가축이면서, 개는 도둑을 지키고 돼지는 경제 부흥에 앞장선다. 남편의 비호 아래 부를 늘려가는 부인의 모습을 연상할 수 있기 때문이다.

더욱이 힐러리는 개의 달(戌月)에 출생하여 개띠와는 전생의 인연이 있다. 사주에서는 돼지(亥)를 지켜주는 개(戌)가 앞에 있어서 인척 관계가 견고한 집안의 출생자임을 나타내고 있고, 스캔들메이커인 개띠 남편을 매번 떠날 수 없는 이유이기도 하다. 클린턴의 사망하거나 또 다른 개띠가 생기지 않는 한 힐러리는 클린턴을 떠날 수 없다.

이에 비해 클린턴은 돼지띠가 전생의 인연이 아니다. 단지 21~30세까지인 기해(己亥)라는 돼지대운에서 돼지띠인 힐러리를 만났을 뿐이다. 이때 힐러리는 9월 돼지띠의 본성인 온전 견고함을 클린턴에게 보여주었다. 7월 개띠의 본성인 급하면서도 느슨한 클린턴과 9월 돼지띠의 본질인 느슨하면서도 단단한 힐러리는 서로 결속할 수 있다는 영향을 주고받았고, 젊은 열정이 넘치는 시기였으므로 결혼으로까지 이어졌다. 다만 힐러리는 전생의 인연으로, 클린턴은 길에서 만난 인연으로 부부가 되었기 때문에 더 좋은 사람이 나타나면 힐러리를 못 본 체하는 모순이 클린턴에게 남아 있다는 것이다.

그렇지만 힐러리는 남편궁인 생일에 호랑이(寅)가 있다. 그리고 그 호랑이를 생월의 개(戌)가 쫓고 있다. 백수의 왕인 호랑이가 가축에 불과한 개한테 뒷덜미를 잡힌 꼴이다. 호랑이와 개가 1 대 1이면 어림없는 짓이지만 개의 곁에는 총을 든 사냥꾼이 있으므로 앞에 있는 호랑이가 두려워하는 형국이다.

돌려 말하면 힐러리는 남편인 대통령의 뒷덜미를 잡으면서 부정부패를 감시하고, 욕심 사나운 사냥꾼들의 시선을 다른 곳으로 돌리게 하여 위험에 빠진 남편을 구하는 역할로, 전생의 인연인 클린턴을 저버리지 않고 경제 호황을 일구어내는 등 패권국가의 영부인 노릇을 무사히 마치고 나왔다는 것이다.

미국을 위해서도 세계를 위해서도 아주 좋은 일이었다. 아쉬운 점은 힐러리의 생일이 호랑이(寅)날이라서 불충한 맏며느리의 자격이다. 일편단심의 소유자가 아니라는 뜻이다.

클린턴은 년과 월, 천간에 태양(丙:丙)이 중복되어 뜨는 해와 지는 해의 모습을 동시에 보여 주고 있다. 하나밖에 없는 사람이 죽음과 동시에 또 하나밖에 없는 사람이 탄생한다거나, 생부이든 계부이든 부친이 죽은 뒤 곧바로 재혼하는 모친의 모습도 되고, 저물어가는 해를 빨리 내쫓고 새해를 맞으려는 자들의 못된 행동이기도 하다. 살아생전 못 볼꼴을 많이 본다는 것이다.

그런 중 51세에서 클린턴에게 호랑이대운(壬寅)이 들어왔다. 부적절한 관계의 당사자였던 르윈스키(1974년, 갑인년 호랑이띠)가 들어온 이유이다. 그러나 호랑이띠인 르윈스키는 개띠인 클린턴을 제압할 수 없다. 단둘이 있는 침대 속이었다면 모르겠지만 대통령이라는 공인된 입장에서는 어림도 없다. 호랑이를 잡으려는 일류 사냥꾼이 개 뒤를 뒤쫓고 있음을 알고 있기 때문이었고, 또한 아내 힐러리 차지인 클린턴 생일에 있는 소(丑)를 공략할 수도 없었다. 야생의 동물인 호랑이가 가축인 민가의 소를 공략한다면 이 역시 사살감이다.

르윈스키는 단지 클린턴의 생월에 있는 원숭이(申)를 공략할 수 있었다. 가장 진화된 영장류인 원숭이와 산천초목을 떨게 하는 위세의 호랑이가 격돌하던 장면이 바로 세계를 떠들썩하게 한 백악관의 성추문 사건이었다. 만약 힐러리가 온전 견고한 성품의 소유자로서 호랑이의 뒷덜미를 잡고 있는 사주가 아니었다면, 돼지띠인 힐러리는 호랑이띠인 르윈스키한테 당했을 것이다. 클린턴 역시 못 볼꼴을 보고 말았을 것이다.

클린턴과 힐러리가 부부로서의 애정이 결핍된 것처럼 보이면서도 결정적인 순간에 서로를 돕고 보완해주는 데에는 이와 같은 궁합의 작용이 있었기 때문이다.

❀ 조선시대 역대 왕들의 궁합

단종				문종				세종				태종				태조			
時	日	月	年	時	日	月	年	時	日	月	年	時	日	月	年	時	日	月	年
甲	丁	丙	辛	:	癸	乙	甲	:	壬	乙	丁	:	辛	丙	丁	:	己	丁	乙
辰	巳	申	酉	:	酉	亥	午	:	辰	巳	丑	:	卯	午	未	:	未	亥	亥

사주 출처 : 조선왕조실록.

조선을 세운 태조는 을해년(1335년) 돼지띠이고, 태종은 정미년(1367년) 양띠이다. 출생 띠로 보았을 때 아들이 부친을 자극(土克水)하고 단속하여 견고한 집안으로 나아갔다는 걸 알 수 있다. 태조는 욕심이 많고 저돌적인 기질을 지닌 반면에 군인으로서의 훌륭한 자질이 있는 돼지띠인데, 태종은 남을 먹일 줄 알고 물똥도 싸지 않으면서 무리를 이루는데 월등한 양띠이기 때문이다. 돼지띠 태조가 양띠 태종한테 함부로 할 수 없는 조건을 가진 것이다.

태종이 정미년 양띠라면 아들인 세종은 정축년(1397년) 소띠였다. 양(염소)과 소는 똑같은 가축이지만 경제적인 면에서 소가 월등(丑)未)하다. 자식인 세종이 부친인 태종보다 경제적으로 월등하여 세종시대에 엄청난 번영을 누릴 수 있었던 것도 이러한 관계 때문이다.

알려진 대로 세종은 맏이가 아니었다. 세자였던 양녕대군이 폐위되고 둘째인 효령대군마저 제치면서 셋째 충녕대군인 세종이 왕위에 올랐는데 양녕대군은 갑술년 개띠였고, 효령대군은 병자년 쥐띠였다. 즉 개띠인 양녕대군은 양띠인 태종을 심심하면 공격하여 심기를 건드리거나 상처 내는 불편한 존재였고, 쥐띠인 효령대군은 양띠인 태종의 눈치나 살피면서 어려운 일에서는 쏙 빠지는 얌체였다. 하지만 소띠인 충녕대군은 소처럼 무던하게 견디면서도 경제적으로 월등한 자식이었다는 것이다. 장자 계승의 법도를 어겨야 했던 태종의 고뇌도 심했겠지만 결과는 세종의 덕치정치로 국가가 번영될 수 있었다.

세종과 문종의 관계를 보면 이렇다. 세종이 정축년 소띠이고 문종이 갑오년(1414년) 말띠였다. 소는 경제 우선의 동물이지만 말은 국방 경계 우선의 동물이다. 부친인 세종이 경제적, 문화적 부흥을 일으켰다면 자식인 문종은 국방경계를 강화하여 온 국민이 안정된 삶(火生土)을 누릴 수 있게 했다. 짧은 재위기간이었지만 문종이 만든 첨단무기 문종화차(신기전)는 국방을 강화시키는 데 일등공신이었고, 노쇠한 세종을 대신하여 국정을 도맡은 해가 무려 8년에 이르렀었다.

그렇다면 문종과 단종의 궁합은 어땠을까. 문종이 갑오년 말띠인데 아들인 단종은 신유년(1441년) 닭띠였다. 자식인 단종이 부모인 문종보다 작아도 너무 작았다. 문종이 일찍 죽어 단종이 미처 크지도 못했기에 세조에게 왕위 찬탈을 당했다고 하지만 애초부터 닭은 말보다 작다. 닭은 말구유에 떨어진 콩 알갱이를 한가롭게 주워 먹을 수는 있지만 말이 뛰는 것만큼 뛰지도 날지도 못한다. 부모의 보호가 있어야만 생존이 가능하다는 것이다.

단종이 왕위에 오른 뒤 국가의 위계질서가 무너지고 선대의 충신들이 죽임을 당했는가 하면 계유정난(癸酉靖難)으로 왕위찬탈마저 당할 수밖에 없었던 이유이다. 명문대가가 하루아침에 몰락한 사태였고, 이때 보위를 빼앗은 세조는 단종보다 36세 더 많은 띠 동갑의 정유년(1417년) 닭띠였다. 삼촌이 조카의 자리를 빼앗아 왕이 되는 역사에 길이 남는 패륜을 저지르고 말았다.

✿ 미국의 아버지 부시와 아들 부시의 궁합

후세인(1937/4/28)				아들 부시(1946/7/6)				아버지 부시(1924/6/12)			
時	日	月	年	時	日	月	年	時	日	月	年
甲	丁	甲	丁	:	辛	甲	丙	:	壬	庚	甲
辰	巳	辰	丑	:	巳	午	戌	:	戌	午	子

아버지 부시는 쥐띠이다. 쥐는 어두운 곳을 좋아하고, 작고 왜소하며, 매우 민첩하여 위험한 곳도 거침이 없다. 또한 일 년 열두 달을 구분하지 않고 부지런하기 그지없다.

그러나 아버지 부시(1924년 6월12일)는 밤이 가장 짧은 하지(夏至)를 열흘 앞두고 태어난 5월 쥐띠이므로 활발하게 움직일 수는 없다. 벌건 대낮에 돌아다닌다면 당장 도둑으로 몰려 치도곤을 당하기 때문이다. 그런데 개띠 아들인 부시(1946년 7월6일)가 태어났다. 아버지 나이 22세 때였다.

개띠 아들의 탄생은 쥐띠인 아버지 부시에게 커다란 축복이다. 아들이 도둑을 잡는 개띠이기 때문이다. 이러면 부모는 도둑질을 계속할 수 없다. 부모가 자식 얼굴에 먹칠을 할 수 없기 때문이다. 실제로 증권인수업으로 큰돈을 벌었고 미 연방 상원의원까지 지낸 할아버지(프레스코 부시)는, 독일의 히틀러에게 뒷돈을 대주었다고 국가에서 몰수해 버린 은행의 이사를 지낸 적도 있을 정도로 떳떳하지 못한 축재를 하기도 했다.

부당한 거래는 원래 지탄받아 마땅하지만 때론 편법이 통하는 세계도 있다. 국가 대 국가일 때다. 자원이 고갈되어가는 현실에서 자국을 위하는 것이면 타국의 것을 몰래 가져와도 국민이 허락한다. 몰래 가져오는 것에는 쥐가 적격이다.

더구나 아들 부시는 병술(丙戌)이라서 굳이 따지자면 국제경찰에 속한다. 丙이 태양이기 때문이다. 아들 부시가 출생하면서 아버지 부시는 조상의 숨은 돈을 명분 있게 투자할 수도 있었고, 국제경찰의 엄호를 받으며 남의 땅에 들어가 남의 것을 가져오는 데도 일가견이 생겼던 것이다.

많은 사람들은 잘 먹고 잘 살면 패권까지 움켜쥐고 싶어 한다. 대신해 줄 적임자가 있으면 적극적으로 밀어주기도 한다. 옆집은 굶어도 상관이 없다. 하물며 남의 나라인데 중동에는 엄청난 석유까지 있다. 내 것은 저장해두고 남의 것부터 뺏어야 된다는 욕심이 국민들에게 당연히 발생한다.

그러한 작용 때문인지 아버지 부시는 전쟁을 하게 됐다. 새로 개발된 첨단무기들도 시험해 보고 싶었다. 밤이 짧은 5월에 쥐띠로 태어난 아버지 부시가 할 수 있는 일은 앉아서 날려 보내는 대포가 제격이다. 우리나라 5월 단오의 그네뛰기처럼 남의 담장을 넘어가보고 싶은 심리가 있었던 것이다.

정축년(1937년 4월28일) 소띠였던 후세인이 거들었다. 후세인이 경오

년(1990년) 여름에 쿠웨이트를 침공하여 걸프전의 빌미를 제공했던 것이다. 포부대 장교였던 아버지 부시가 가만히 있을 리 없다. 국민들마저 빨리 가라고 아우성이다. 그렇지만 남의 눈이 무서우니 밤이 긴 연말이 되기를 기다려 후세인을 처리하기에 이르렀다.

후세인은 정축년 음력 3월 출생이다. 변덕 심한 3월 날씨에 모래바람마저 심한 중동에서 태어났다. 소의 큰 입으로, 코로, 눈으로 들이닥치는 모래먼지 속에는 절대 먹어서는 안 될 것조차 들어 있어 숨쉬기도 곤란하고 눈도 제대로 뜰 수 없는 형국의 사주이다.

그런데 후세인이 사는 땅에는 석유가 지천이다. 땅은 소(丑)의 차지이다. 농사에서 소가 앞장서듯 땅을 파서 석유를 푸는 것도 소가 할 일이다. 소띠인 후세인이 주인 되지 말라는 법이 없다. 미련하고 우둔한 소띠 후세인은 퍼 올리는 석유에 눈이 멀고 모래먼지에 섞여 있는 중금속에 오염되는 줄 몰랐을 것이다. 중독자로 변하면서 작은 쥐가 틈새를 보고 있는 것은 눈치 채지 못한 채 옆집 쿠웨이트의 와자지껄한 잔칫상만 넘보면서 쳐들어간 것이다.

그걸 지켜보고 있던 아버지 부시(쥐)는 멋지게 한 방 날릴 수 있는 적시를 잡았으니 호재가 아닐 수 없다. 포부대 장교 사주이고, 항공모함을 몰았던 경력이 있으며, 패권국민의 지지를 받는 대통령인 아버지 부시로서는 의기양양할 수밖에 없다. 아쉬운 것은 짧은 밤에 움직여야 하는 5월 쥐띠라는 특성 때문에 부자 후세인을 거덜내지는 못했다는 점이다. 패권국 국민들의 자존심을 채워줄 수 없었던 것이다.

걸프전 뒤로 추락한 미국 경제를 살리는 데에는 클린턴이 앞장섰다. 9

월 돼지띠(힐러리)인 영부인의 공도 한몫 했다. 돼지는 경제 우선의 동물이고, 클린턴도 이에 힘입어 전쟁보다 경제가 우선이라고 선거 공약으로 내세운 바 있다. 클린턴의 뒤를 이어 아들 부시가 대통령이 되었다. 아버지 부시가 후세인에게 깎였던 미국의 체면을 올려 세우는 데에 아들 부시는 최고의 적임자였다.

9·11 테러는 이에 부채질을 했다. 미국의 국민적 정서는 다시 호전적으로 바뀌었고, 후세인에 대한 악감정이 빈 라덴으로 옮겨 붙었다. 이라크의 후세인을 먼저 잡는 것이 국제경찰을 자처하는 패권국 국민들과 병술 개띠인 아들 부시의 최대 목표였지만 9·11 테러로 빈 라덴을 숨겨준 아프간부터 먼저 손을 봐야 했다. 그렇지만 1957년생(정유년 닭띠)인 빈 라덴을 아들 부시는 잡지 못했다. 닭 쫓던 개 지붕 쳐다보는 꼴이 되고 말았으니 불똥은 후세인에게 옮겨갈 수밖에 없었다.

후세인은 소띠고 아들 부시는 개띠이다. 소와 개의 관계는 한 지붕 한 울타리 아래에서 살아가는 가축이지만 서로의 책임이 다르므로 주인을 위해서라면 서로 참견 없이 살아야 할 관계이다. 소가 노동했다고 그 집의 권리를 제 것이라고 우긴다거나, 개가 도둑을 지킨다고 그 집의 권리가 자기 것이라고 우긴다면 곤란하다.

서로 공격하면 집안이 망한다. 묶인 소가 풀려 있는 개를 들이받을 수는 없지만 묶인 곳에서도 닥치는 대로 들이받으면 초가삼간 하나쯤 무너뜨리기는 예사이고, 무너지는 흙더미에 소도 깔려죽기 십상이니 집안 망하기 알맞다. 그리고 이런 현상은 개에게도 있다. 아버지 부시의 떨어진 체면을 주어올리고 패권국 국민의 자존심을 살려준다는 핑계로 후세인을 공격하여 끝내 소띠 후세인을 잡았지만, 소를 아예 죽여 없애면 다음 해 농사는 누가 짓겠는가. 주인은 낭패봤다는 것이다.

10년 만에 후세인은 죽었다. 소처럼 목에 줄이 묶여 죽었다. 그런데 지금 세계라는 지붕은 무너져가고 있는 것 같다. 이라크 외에도 중동에서 나오는 석유값이 하늘 높은 줄 모르고 올라가 미국은 물론 전 세계의 사람들이 못 살겠다고 아우성이다. 세계 최고의 명문이라는 부시 가문의 위세가 지속되기에는 불투명한 입장이 되었다.

❀ 선조와 이순신 장군의 궁합

선조대왕 당시의 명장 이순신(李舜臣) 장군은 1545년 4월28일(을사년 뱀띠 해) 출생하여 1598년 12월16일(무술년 개띠 해)에 죽었다. 쥐띠인 선조 임금과 뱀띠인 이순신과의 궁합은 군주가 신하를 내치는 화극수(火克水) 관계이다.

이순신은 장수로서의 능력뿐만 아니라 뛰어난 인격과 지도력을 함께 갖춘 성웅(聖雄)으로서 오늘날까지 추앙을 받고 있지만 그의 삶은 고달팠다. 할아버지인 이백록이 기묘사화에 연루되어 참변을 당한 일 때문에 기운 가세는 쉽게 일어날 수 없었다. 대대로 문신이었던 집안에서 뒤늦은 나이에 무예를 배워 28세에 무과에 응시했으나 낙방하기도 했다. 32세(정축년)에 비로소 등과하여 국방강화의 임무를 부여받았지만 42세(정해년)때 여진족에 대패하였다는 이유로 백의종군하였다.

불행 중 다행인 것은 당시 장군보다 3살 연상(임인년 호랑이띠)의 유성룡 대감이었다. 군주의 신뢰를 얻지 못해 뛰어난 능력을 발휘하지 못하던 장군에게 더없이 고마운 일이었다. 그러나 이것도 순탄치 않았다. 유성룡의 추천으로 전라도 수군절도사로 임명받았지만 경험이 부족하다는 이유로 조정에서는 반대가 심했다.

그런 상황에서도 이순신은 전쟁을 대비했다. 군대를 재정비하고, 군량미를 확보하며, 거북선을 건조하는 등 군대를 강화했다. 그 결과 임진년 사월 왜란이 일어나기 직전 전라좌수영은 40척의 전선을 보유할 수 있었다.

임진왜란에서 사천해전은 거북선이 출전한 첫 번째 승리였다. 한산대첩은 임진왜란의 3대 대첩 중 하나로 1592년(임진년, 47세) 음력 7월 8일 한산 앞바다에서의 전투였고 이 전투에서 소위 말하는 학익진 전법이 처음으로 펼쳐졌다고 한다. 승승장구하던 왜군의 기세가 초반에 꺾인 것이다.

겁먹은 왜군은 전투에 적극적이지 않았다. 숨었다가 나왔다가를 반복하는 동안 초기 전세가 교착(交錯)되고 강화회담마저도 진척이 없었다. 더구나 이순신 장군은 임진왜란 초반의 전공으로 삼도수군통제사가 되었지만 원균은 그렇지 못했다. 나이도 많고 선배였음에도 이순신 장군으로 인해 뒤로 밀린 원균이 반발하고 나온 것이다. 조정에서는 원균(경자년 쥐띠, 1540년)의 입장을 옹호하는 사람들이 많았다. 선조를 비롯하여 조정에서는 이순신의 전략을 불신하기 시작했으며 왜군에게 적극적인 공격을 강요하였다.

결국 임진왜란 발발 5년 만인 정유년(1597년 2월25일)에 해임되어 원균에게 직책을 인계하고 압송되어 투옥(3월4일)되었다. 다행히 결백이 증명되어 4월1일 사면되었고 도원수 권율 밑에서 백의종군하라는 명령을 또 받았다.

해임된 지 3개월 만인 같은 해 7월16일에 원균이 이끄는 함대가 일본군의 기습으로 전멸하게 이르렀을 즈음 조정에서는 이항복의 건의로 이순신을 다시 삼도수군통제사로 임명하였다. 이때 군사 120명에 함선은 12척밖에 남아 있지 않았다.

그러나 장군은 9월14일 명량해협에서 120명의 군사와 12척의 함선, 그리고 새로 구축한 1척을 추가한 총 13척의 함선으로 133척의 왜군 함선을 격파했다. 바로 명량대첩이었다. 이 해전의 승리로 조선 수군은 위기에 빠졌던 정유재란의 전세를 역전시켰다. 이로부터 일 년 뒤, 1598년(무술년) 양력 12월16일 장군은 마지막 전투를 했다. 노량해전이었다. 거기서 이순신 장군은 적군의 총탄에 쓰러진 것이다.

선조는 임자년 쥐띠이고, 원균은 12살 위인 경자년 쥐띠이다. 원균과 선조는 똑같은 쥐띠였고, 이순신에게 선조는 군주, 원균은 선배였다. 왜군의 침략으로 온 나라가 피바다가 되어가는데도 군주는 뱀띠 장수를 믿지 못했고, 선배는 후배인 장군을 모략중상했다. 누가 더 많이 했고 덜 했느냐는 말하지 않아도 된다. 똑같이 뱀에게 잡혀 먹힐까 전전긍긍하면서 군주는 신하를 내치고 선배는 후배를 내치는 나쁜 궁합의 작용이 여지없이 드러났던 우리의 역사이다.

만약 선조(쥐띠)와 이순신(뱀띠)과의 궁합이 박정희(뱀띠) 전 대통령과 채명신(호랑이띠) 사령관의 궁합처럼 군주가 신하의 보필을 받는 관계(木生火)였다면 이순신 장군은 그때 일본을 아예 박살냈을 것이다. 채명신 장군이 호랑이띠였고 호랑이답게 군 총사령관이 되어 우리의 군 실력을 세계에 보여주었던 것처럼 이순신 장군도 그랬을 것이다. 그런데 그렇지 못했다. 군주가 신하를 내치는 궁합이었기 때문이었다.

이순신은 뱀띠였고, 뱀은 수륙양용의 동물이다. 육지에서도 바다에서도 살아남을 수 있다. 뱀이 가진 독은 첨단무기보다 무섭고 사정거리 또한 멀다. 보복성은 누구보다 강하다. 진동과 온도에 민감하여 정보나 기상변동에 능통하다. 때문에 거북선을 구축한 것은 자신의 본질을 살린 것이다.

장군에게 폭넓은 기회가 주어졌다면 현재의 북태평양조약기구인 NASA보다 월등한 국방강화를 할 수 있었을 것이다. 그러나 쥐띠인 선조는 뱀띠인 이순신 장군에게 잡혀 먹힐까 봐 가까이 오지도 못하게 하고, 멀리 두고서도 전략적 행동을 할 수 있도록 내버려두지 않았다. 옆에 있던 원균은 이에 부채질하고 나섰다. 결국 임진왜란부터 정유재란까지의 7년 세월을 조선은 더 참혹하게 유린당했던 것이다.

✿ 선조와 오성 이항복, 한음 이덕형의 궁합

동료나 친구 간의 궁합을 볼 때 먼저 구분해야 할 게 있다. 궁합이 좋다 나쁘다가 상대와의 오행 관계가 아닌 자신의 인격이나 품격에서 나온다는 점이다. 동료, 동기 관계는 동갑내기도 한두 살에서 많게는 십 년 넘는 사람도 있게 마련이지만, 애초부터 동등한 위치에 있다는 전제조건이 붙기 때문이다. 그러면서도 오행의 관계는 여지없이 작용한다.

삼합이나 육합 또는 상생상극 관계가 어떻다는 등 일반적인 풀이를 하면 실수를 범하게 된다. 밖으로 드러나지 않는 불미스러운 일들이 합 속에 더 많기 때문이다. 동성(同性) 간에 오행의 부부지간 모습이 잘못 나타나면 동성애가 된다. 부모자식 간의 모습도 잘못 나타나면 동료나 친구로 인해 한스러울 수도 있다. 심사숙고해야 할 부분이다.

분명한 것은 한 직장에서 한 사람의 상사를 동시에 받들되, 상사와의 궁합이 모두 좋아야 한다. 평등한 사랑을 받음으로써 동료들끼리 서로 견주어 내려가고 올라감이 없으면 아주 절친한 동료 관계가 된다는 것이다. 바로 오성과 한음이 그렇다.

오성과 한음은 선조시대의 사람들로 각자 인격과 학식이 높았다. 같은 해에 똑같이 급제하여 똑같이 군주의 신뢰를 받았다. 오성 이항복은 병진년(1556년) 용띠였고, 한음 이덕형은 5년 아래인 신유년(1661년) 닭띠였다. 임자년 쥐띠(1552년)였던 선조와는 나이 차가 많지 않아 군신으로서 친구로서 유별남을 보였던 사람들이다.

그들의 특별한 우정도 그렇거니와 선조와의 군신 관계에서도 궁합이 좋았다. 이항복은 선조를 토극수(土克水)로, 이덕형은 금생수(金生水)로 받들어 모시는 관계였으니 실생활의 모습으로 설명하면 일기예보를 알아차릴 만큼 기상예측에 능통하여 항해꾼들에게 없어서는 안 될 쥐가 선조였다.

　신하인 이항복은 깊은 물 속에 산다는 용띠였으니 신하가 군주를 떠받들 수밖에 없는 관계였고, 이덕형은 쥐가 가장 좋아하는 계란을 하루 하나씩 낳아주는 닭띠였으니 쥐띠 도둑 군주가 살기 위해 비행을 저지르지 않아도 되는 관계였다. 군신 관계를 넘어 친구 관계로 얼마든지 발전할 수 있었다는 것이다.

　만약 그들이 선조라는 매개체 없이 둘만의 관계였다면 우리 후대들에게 그만한 본보기를 남기지 못했을지도 모른다. 오성과 한음은 선조 이후 돼지띠인 광해군과의 관계에서도 충신이 될 궁합이었다. 때문에 광해군이 인목대비와 영창대군에게 저지르는 잘못을 지적하면서 귀양길에 올랐던 것이다. 그러면서도 이항복은 왕을 그리는 시를 읊으면서 죽었다. 이덕형은 광해군에게 면직당해 낙향했으나 5년이나 먼저 죽었다. 각자의 인격과 품격이 높았던 신하였기에 저들은 죽음을 맞이하면서도 군주를 바르게 인도하고자 했던 것이리라.

❀ 열두 띠와 방향 궁합

　누구라도 한 곳에 주저앉아 일생을 살아갈 수는 없다. 한 번씩 이사를 하게 된다. 그런데 어떤 곳은 이사 가서 순조롭게 형편이 나아졌는가 하면 또 어떤 곳에서는 이사 가는 날부터 연속적으로 내리막길을 걷는 경우도 있다. 누구라도 이러한 경험을 해보았으리라 생각한다.

이것이 각자 타고난 사주팔자의 작용이다. 그렇지만 사람의 팔자는 오랫동안 사주를 공부하고 거기에 매달려온 사람도 깨우치지 못한 것이 많은데 그렇지 않은 사람들이야 오죽 하겠는가?

그렇다고 자신에게 잘 맞는 방향을 알고자 번번이 역학자들의 도움을 구하러 다닐 수도 없는 노릇이다. 그래서 인간의 열두 띠와 연관하여 여기에 잘 맞는 방향 궁합을 설명하고자 한다. 물론 띠별 방향 궁합이 예외 없이 적용되는 것은 아니니, 큰 줄기로서 참고를 해서 생활에 응용하는 정도가 되었으면 좋겠다.

● 쥐띠

쥐는 밝으면 돌아다닐 수 없다. 사람들이 많아도 마찬가지이다. 이것은 날이 밝았다거나 도회지 한복판의 대낮 현상이다. 그렇지만 어두우면 내 세상이다. 한적해도 마찬가지이다. 해가 져서 어둡거나 시골처럼 조용한 분위기일 것이다.

쥐띠는 해 뜨는 동쪽이나 해가 중천에 있는 남쪽이 나쁘고, 해가 지는 서쪽과 한밤중인 북쪽이 내 세상이라는 것이다. 다시 말해 동쪽이나 남쪽으로 이사를 가면 활개를 펴지 못하고, 서쪽이나 북쪽으로 이사를 가면 내 세상을 만난 것처럼 활개를 친다. 그렇다고 부산 살던 사람이 휴전선 밑으로 이사 가면 안 된다. 더 이상 갈 곳이 없다. 한 번만 이사하고 만다면 모르겠지만 그럴 수는 없다.

사람에게는 끊임없이 이사수가 따라붙기 때문이다. 더구나 쥐가 빠르기는 하지만 멀리 가지는 못한다. 한 걸음씩 발전되는 상황을 만드는 것이 훨씬 보람찬 일생을 살게 된다는 것이다.

 ● 소띠

　　소는 아침에 일어나 집에서 밥을 먹고 논으로 가든 밭으로 가든 농부를 따라 나간다. 농부와 함께 종일토록 일하고 해가 지면 농부와 함께 집으로 돌아온다. 짐을 싣고 먼 길을 나갔다가 미처 돌아오지도 못하는 수도 있다. 이때 소를 끌고 들어가 잠을 청할 수 있는 곳은 흔치 않다. 많은 숙박비도 지불해야 하지만 외양간(주차장)이 안전한 여관도 많지 않기 때문이다.

　　따라서 소띠는 동쪽으로 이사를 가면 하루종일 일하고, 남쪽으로 이사 가면 반나절 일하며, 서쪽으로 이사 가면 되돌아오기 바쁘고, 북쪽으로 이사 가면 비싼 숙박료를 치러야 한다. 결국 동쪽 이사는 끊이지 않는 일거리로 품값이 올라가고, 남쪽 이사는 느지막이 나가서 허덕거리고 뛰어다니며, 서쪽 이사에서는 하던 일도 손을 놓아야 하고, 북쪽 이사에서는 내 집 놔두고 한 데서 잠을 자는 형국이 된다.

　　소띠는 동쪽 이사가 최고이다. 불행하게도 우리나라는 남북의 길이가 길고 동서의 길이가 짧다. 느린 걸음이라도 인천에서 강릉까지 이삼일이면 족하다. 일생에 서너 번만 움직일 자세로 신중하게 결정해야 한다. 많은 일을 해야 될 사람(소)이 놀게 된다면 집안은 물론 국가도 가난해진다.

● 호랑이띠

　호랑이는 산중의 생태를 조절하는 최고권력자로서 밤의 왕자라고도 불린다. 산 좋고 물 좋은 곳이면 말할 것도 없겠지만 조심해야 될 것은 벌건 대낮에 돌아다니면 사람들이 기절초풍한다는 것이다. 때문에 호랑이는 쥐처럼 해가 지는 서쪽이나 한밤중인 북쪽으로 이사를 해야 된다. 해가 지는 서쪽 이사에서는 종일토록 풀을 뜯어 살찐 초식동물이 많아 먹고 사는데 허덕거리지 않아도 되고, 밤중 방향인 북쪽으로의 이사에서는 밤중에 움직이는 도둑들이 많아 사회정화에도 앞장서는 일을 하게 된다.

　서쪽이나 북쪽으로 가는 이사일지라도 그곳이 바다 근처이면 나쁘다. 호랑이가 바다에서 헤엄칠 수도 없지만 입고 있는 털옷이 소금물에 젖으면 아주 기분 나쁘고, 또 호랑이는 육식을 하기 때문에 비린내를 몰고 다닌다. 바다 비린내와 피비린내가 합쳐져 옷에 배이면 부정한 사람으로 지목받을 수밖에 없다. 또한 호랑이가 추위는 잘 견뎌도 더위는 참지 못한다. 따라서 남쪽 이사도 피해야 된다.

● 토끼띠

　토끼는 생풀보다 건초를 더 좋아한다. 토끼굴에 건초를 모아놓고 먹기도 하고 이불로도 사용하여 긴 겨울을 보내므로 여느 동물에 비해 번식력이 높은 것이다. 그런데 건초는 가을에 생산된다. 풀어 설명하면 가을 방향인 서쪽과 겨울 방향인 북쪽 이사가 좋다는 걸 의미한다.

동쪽이나 남쪽 방향의 이사는 먹을 것은 많아도 항시 불안하고 바쁜 일만 많으며 병원에 갈 일이 많다. 땀샘이 없어 습기 배출에 지장이 많은데 생풀을 먹어야 되는 것도 이유가 되고, 해가 떠서 날이 밝은 곳에는 토끼만 보면 달려드는 개도 돌아다녀 늘 신경을 곤두세우고 살아야 한다.

여름 방향인 남쪽에는 장마가 잦은 것이 또 나쁘다. 입고 있는 털옷이 비에 젖으면 빨리 마르지도 않고 더웠다 추웠다 하여 오뉴월 삼복에 감기가 든다. 그러나 서쪽이나 북쪽 이사에서는 지식이나 지혜가 발전한다. 어둠 속에서 호랑이를 마주쳤을 때 재치 있게 위기를 모면해야 되기 때문이다.

● 용띠

용은 물가가 당연히 좋지만 물은 동서남북 어디에도 있을 수 있으므로 딱히 어느 쪽이 좋다고는 할 수 없다. 다만 남쪽 물이 상대적으로 따뜻하고 북쪽 물이 차가울 것은 분명하므로 남쪽 이사에서는 아주 바쁘게 살고 북쪽 이사에서는 춥고 부자유스럽게 살아간다. 더구나 물이 어는 한겨울의 방향인 북쪽 이사에서는 얼음 속에 갇히는 신세로 나타날 수 있다. 가택연금도 이에 해당한다 하겠다.

물은 동쪽에서 서쪽으로 흐르는 것이다. 때문에 물의 오염은 서쪽이 심하여 서쪽으로 이사는 병원에 갈 일이 많다. 따뜻한 남쪽이면서 오염되지 않은 물이 시원스럽게 흐르는 곳으로 이사라면 정말 좋은 이사가 될 것이다.

● 뱀띠

뱀은 삼월에 나왔다가 구월에는 동면에 들어간다. 발이 없어 바닥에서 기어다니고 나왔던 곳으로 다시 가기 때문에 엄청 피곤하게 산다. 따라서 삼월의 방향인 동남간(辰)에서부터 서북간(戌) 안쪽에서는 아주 피곤하게 살고, 서북간부터 동남간 안쪽에서는 아주 한가롭게 살게 된다.

그런데 여기에 따르는 불편사항이 있다. 피곤하지만 먹을 것이 많다는 것과 한가롭지만 아껴 살아야 된다는 것의 차이다. 뱀이 동면에 들어가 있는 겨울에는 여름에 비축해 두었던 영양분을 아주 조금씩 사용해야 한다. 에너지의 소비 조절을 잘 못하면 봄에 나올 수 있는 기력이 없어진다. 즉 서북간에서 동남간 안쪽의 이사에서는 에너지 소비 조절을 못하여 기력이 떨어져 병을 얻을 수 있고, 동남간에서 서북간 안쪽의 이사는 멀리 다니는 길이 피곤하여 멧돼지 같은 천적의 눈에 뜨이기도 하며, 많은 개발로 하루가 다르게 생기는 도로에 잘못 들어가 로드 킬을 당하는 등 어려움이 따르기도 한다. 이런 것들에 유의하면서 이사를 계획해야 한다.

● 말띠

말은 빨리 멀리 뛰므로 주체하지 못할 정도로 땀이 많이 난다. 그리고 땀은 밤보다는 낮에 많이 나고, 겨울보다는 여름에 많이 나므로 말띠는 춥고 어두운 방향인 서북쪽에서 햇살 퍼지기 직전인 아침 방향인 동쪽이 좋다.

햇살이 퍼져 일하는 사람들의 행동이 활발하게 보이는 동남간이나, 하던 일을 마저 끝내고 집으로 가기 위해 사람들이 바쁘게 움직이는 오후 방향의 서쪽으로 이사를 가면 욕먹을 일이 많게 된다. 심한 경우 왕따도 당한다. 또 한낮 방향에서는 뜨거워서 뛰지도 못한다. 일하기에 부적합한 일만 생긴다는 것이다. 이러한 모양들이 바로 삶의 모습으로 나타난다. 힘차게 내달리는 말이 되고 싶다면 서북쪽이나 동쪽으로 이사를 가야 한다. 그런데 동서의 길이가 짧은 우리나라이니 평양을 거치고 두만강 압록강을 건너뛰어 중원을 내달리듯 이사해야 된다는 것이다.

그저 적당히 움직이며 살고 싶다면 남쪽도 좋다. 다만 제주도나 호주, 하와이 등 섬나라로 가야 한다. 사방이 확 트여 있어서 불어오는 바람이 많으면 땀은 저절로 식으니까 큰 문제는 아닐 것이다.

● 양띠

초근목피로도 살아가는 양은 어디를 간다 한들 못 살지는 않지만 그래도 파란 풀이 일찍 돋는 동쪽이나 풀이 많은 남쪽이 좋다. 다만 질펀하게 고인 물은 없는 데로 가야할 것이다. 서쪽이나 북쪽에서 양이 좋아하는 건초 생산이 용이하다 해도 여러 하천의 물이 서쪽으로 흘러가므로 습기 넘쳐 괴로운데, 갖은 지저분한 냄새도 많은 해가 지는 서쪽으로는 피하는 것이 좋다.

양의 발바닥이 문어빨판 같다 하니 동쪽 높은 곳의 기암절벽이 문제는 아니다. 그러나 부모 젖을 빨면서도 무릎 꿇듯 겸손한 양에게는 어둠 속에서 들끓는 중상모략이 아주 무섭다. 뜨는 해가 빨리 찾아와야 이런 것들을 빨리 떨쳐낼 수 있다.

해가 지는 서쪽과 한밤중의 방향인 북쪽으로의 이사는 도둑놈 굴 속으로 들어가는 모습이 당장에 나타난다. 남을 절대 물어뜯지 못하는 양은 이런 곳에서 견딜 수 없다. 양의 탈을 쓰고 늑대 되는 일이 이런 데서 나오는 것이다.

● 원숭이띠

원숭이는 녹음이 우거져야 좋다. 꽃피는 춘삼월 방향에서 입추 이전 방향이니 동남쪽에서 서남쪽 사이로 움직여야 한다. 더욱이 원숭이는 농사를 짓지 않는 동물이다. 자연의 것을 거저먹는 것으로 족해야 하는데 사람들이 추수철을 맞이하면 원숭이에게 인심 쓸 여가가 없다. 가을 방향인 서쪽에서부터 한겨울 방향인 북쪽을 거쳐 꽃피기 직전인 동쪽 방향까지는 먹을 것이 없다.

어둠의 방향에서는 굶는 것도 무섭지만 어둠 속에서 일어나는 약탈이나 음모가 더 무섭다. 무리가 힘을 합쳐 사냥에 성공해도 힘이 없으면 먹이를 차지하기 어렵고, 무리의 미움까지 받으면 추방당하기 전에 도망쳐야 된다. 인정사정없는 공격이 생사를 가늠하기 어려운 지경에까지 이를 수 있다. 가족은커녕 내 한 몸 건사하기도 힘들게 된다.

● 닭띠

닭은 광명의 동물이다. 당연히 해 뜨는 동쪽과 한낮의 방향인 남쪽으로 이사해야 한다. 누구보다 일찍 일어나서 아침이 왔음을 알려주고 자신도 홰에서 내려와 곧바로 먹이 찾는 일

을 하므로 해 지기 무섭게 곯아떨어진다. 해가 지는 서쪽으로 이사를 가
면 피곤에 지쳐 곯아떨어질 일만 생긴다.

그러나 그것보다 더 무서운 것이 있다. 닭은 다른 동물과 달리 두 다리
로 살아간다. 날개가 있지만 새처럼 날 수 있는 것은 아니므로 닭의 날
개가 움직이는데 큰 도움 되는 것은 아니다. 대신 반동 작용으로 에너지
를 발생시킨다.

반동 작용이란 습관적인 것을 말한다. 어떤 습관이 반복적으로 일어나
는 것이므로 좋을 수도 있지만 나쁠 수도 있다. 밝은 쪽인 동쪽이나 남쪽
으로 이사를 하면 좋은 일이 반복되지만 어두운 쪽인 서쪽이나 북쪽으로
이사하면 나쁜 일이 반복된다.

나쁜 일의 반복은 정말 피해야 된다. 쇠갈고리 같은 입과 포클레인 같
은 발톱으로 물어뜯거나 뜯는 일이 반복해서 생긴다면 사망에 이르는
지름길이 될 것이다.

● 개띠

개는 사람들 곤히 자는 밤중에 도둑을 지키려면 두 눈을 부
릅떠야 된다. 대신 농사처럼 고단한 일에는 나서지 않아도 된
다. 당연한 것은 서쪽이나 북쪽으로 이사를 하는 사람은 기
본적인 개의 임무를 보는 형태가 지속되지만, 동쪽이나 남쪽으로 이사를
가는 사람은 기본 임무보다는 특수 임무의 형태로 간다. 여기서 기본 임
무는 가정에 들어오는 도둑을 잡는 것이고 특수 임무는 국가에 들어오
는 도둑을 잡는 것이다.

그런데 특수 임무는 많은 손이 필요하지 않다. 국방경계에서 개가 물어뜯는 것처럼 육박전 형태는 이미 구식이 되었고, 멀리 날아가는 미사일로 한방에 날려버리는 것처럼 첨단 형태의 국방경계가 신식이 된 지도 옛날이기 때문이다. 혹 기둥서방의 모습처럼 개인 매니저 형태이거나 사설탐정 같은 직업이라면 동쪽이나 남쪽의 이사에서 주가가 올라간다. 그렇지만 보통사람들처럼 가족을 지키고 동네를 지키는 직업을 가졌다면 어둠의 방향인 서쪽이나 북쪽에서 일거리가 많다.

● 돼지띠

돼지의 임무는 많이 먹고 살을 찌워 고기값을 올리거나 새끼를 많이 낳아 분양을 해야 하는 등 하나에서 열까지 돈을 늘려야 되는 것이다. 때문에 돼지의 주인들은 무한정의 먹이를 제공하므로 돼지에게서는 많은 분뇨가 쏟아질 수밖에 없다. 깨끗하게 살고 싶어도 그럴 수 없는 것이 돼지의 한계이고, 돼지우리 옆을 지나는 사람들이 코를 싸매는 이유이다.

이러한 폐단을 없애는 데는 한 가지 방법밖에 없다. 먼저 냄새는 어두우면 가라앉기 때문에 해가 져서 어두운 쪽에 앉으면 오고가는 사람들이 코를 싸매지 않는다.

즉 서북쪽에서부터 해가 떠오르기 직전인 동북쪽으로의 이사라면 아무리 더럽게 살아도 남들에게 흉을 잡히지 않는다는 것이다. 또 많이 먹어 설사를 해도 보는 사람이 없고, 어두운 데서 질풍처럼 뛴다고 흉을 볼 사람도 없으며, 운동량이 많아져 소화불량에 걸릴 일이 없다. 다이어트

시대에 돈 안 들이는 방법이다. 어두운 눈을 치켜떠도 눈알을 굴린다는 등 비위에 맞지 않는 소리를 듣지 않아도 된다.

PART 3

김정섭

애정과 결혼에 관한
궁합

청송철학원 원장. SBS 〈골드미스가 간다〉 외 TV 수회 출연
http://blog.daum.net/haneuljg / Email : haneuljg@hanmail.net
전화 : 02-816-1156

✿ 명리학에서 보는 궁합

'궁합(宮合)'이란 한자의 뜻 그대로 한 지붕 아래에서 마음을 합치고 몸을 합하는 것을 말한다. 예로부터 우리 조상들은 궁합을 아주 중요하게 여겼고 집안에 혼례를 앞두고는 궁합을 맞추어 보는 것을 당연시 여겼다. 물론 먹고 살기 바쁜 평민들이나 천민들은 예외였다. 궁합은 기본적인 욕구와 배경이 순조롭게 해결되는 상황을 넘어 풍족한 삶에서 좀 더 잘 맞는 반려자를 만나 좀 더 잘 살기 위하는 데에 그 초점이 맞추어져 있기 때문이다.

궁합은 인간의 행복하고자 하는 갈망에 대한 적극적인 요구에서 출발한 것이다. 서로 맞지 않는 배우자를 만나면 행복한 가정을 꾸려나갈 수 없고 이는 나아가 사회와 국가에도 부정적인 영향을 미친다는 걸 이미 인식했기 때문이다.

예전의 궁합은 특히 집안 대 집안의 경사로 서로의 집안에 이익이 될 것인가, 해가 될 것인지를 알기 위해 사주단자를 주고받으면서 궁합의 원칙을 내세우게 되었다. 물론 그 시절에도 아무리 궁합이 좋다고 했어도 집안이 몰락하거나 또한 역적의 집안은 혼인을 기피하게 되었고, 궁합이 좀 나쁘다 해도 고관대작의 집이라면 무조건 혼인을 하기도 하는 정략결혼이 성행하기도 하였다.

오래 전부터 궁합에 있어서 여자의 덕목으로는 출산을 잘하고 자녀 양육을 잘하며 살림도 잘 꾸려나가는 것을 꼽았다. 집안이 평화로워야 남자가 밖에 나가서 큰일을 도모할 수 있을 거라고 생각했기 때문이다.

반면에 신랑이 될 남자에게 중요하게 보았던 덕목은 명예나 관복을 지닌 사주인지 아닌지를 판단하는 것이다. 남자의 지위에 따라서 여자의 행과 불행이 좌우된다고 믿었기 때문이다. 그러니까 오래 전에 부부가 될 남녀의 궁합에서는 서로의 성격과 관심사, 성적인 부분에 대한 중요성은 그다지 비중이 없었던 것이다.

궁합의 개념 자체가 세도가에서 자신들의 집안에 이득이 될 혼처를 정하려고 하는 데서 시작된 것인 만큼 평민들 사이에선 궁합보다는 당장의 의식주 해결이 더 중요했다. 그러니 결혼 상대가 생기면 대충 상대방의 띠 정도만 맞춰보고 혼인을 올릴 수밖에 없었다. 평민들의 결혼 조건의 우선 순위는 무엇보다도 건강한 신체였다.

가진 재산이 없이 남자는 농사를 지어 생계를 유지해야 하고 여자는 아이들을 낳고 기르며 살림도 하는 한편 농사일도 도와야 했으므로 부부에게 가장 필요한 건 튼튼한 체력이었다.

그러던 것이 최근 즉 하갑자(1984년)가 시작되면서 부부의 결합이 단순히 한 가정을 꾸리며 후손을 양육하는 것만을 의미하지 않게 되었다. 곧 인간의 삶의 질이 높아지면서 결혼을 통하여 남녀 모두 행복하고 즐거운 삶을 영위하는 데에 그 주안점을 두게 된 것이다. 그러면서 궁합의 의미는 더 대중적이고 일반화된 동시에 현대인의 욕구에 부합하는 것으로 확장되었다.

최근에 한 결혼정보회사에서 전국의 20~30대 미혼 남녀(남성 385명, 여성 370명)를 상대로 설문조사를 한 결과, 배우자를 결정할 때 궁합을 고려할지 여부를 묻는 질문에 응답자의 56.4%가 '고려한다'고 대답했다. 그 중에서도 남성(43.9%)에 비해 여성(69.2%)이 훨씬 높게 나타났다.

그리고 궁합 때문에 사귀던 이성과 헤어진 경험이 있는지 여부에 대해서는 응답자의 21.1%가 있다고 답변했다. 응답자 가운데 남성은 네 번, 여성의 경우 다섯 번까지 궁합 때문에 헤어진 경험이 있다는 답변이 나왔다.

이런 결과만 보더라도 궁합은 여전히 현대인들에게도 결혼 상대를 고를 때 중요한 판단 기준이 된다는 걸 알 수 있다. 결혼 전에 궁합을 먼저 보고 결정하겠다는 사람이 많다는 것은 그만큼 주변의 경험자들을 통해 그 선택 기준이 검증되었다는 걸 의미하기도 한다.

그렇다면 21세기를 살아가고 있는 현대인들이 중요하게 생각하는 궁합의 조건은 무엇일까.

현대인이 보는 궁합의 조건

1. 커뮤니케이션의 조화 - 성격이 맞아야 대화도 통한다.
2. 성적 조화 - 성적 매력과 호감도가 일치해야 한다.
3. 배경 - 양쪽 집안의 배경과 환경이 잘 맞아야 한다.

그 동안 수많은 남녀의 궁합을 봐주고 그 예후를 지켜보면서 내린 결론은 부부의 합일에 있어서 가장 중요한 것은 서로의 생각을 맞춰 가려는 노력이 얼마나 있느냐 하는 점이었다. 물론 위 세 가지가 다 갖추어져 있다면 훨씬 순조롭게 결혼생활을 할 수 있겠지만 그 중에서도 서로를 이해하려는 노력과 배려가 우선이었다.

이게 먼저 갖추어져 있으면 부부간의 성적 조화에 다소 부족한 점이 있더라도 서로 이해와 배려로 극복할 수 있으며 일상생활에서도 행복한 생활을 꾸려나갈 수 있다. 금전적인 문제나 갈등이 야기되었을 때에도 마찬가지이다. 서로 조금씩 양보하려는 마음이 따르므로 크고 작은 문제들을 순조롭게 헤쳐나갈 수 있다.

그것이 바로 궁합이라고 할 수 있다. 서로를 보완해주고 맞춰줄 수 있는 사람끼리의 결합이냐 아니냐가 곧 전체적인 궁합이다. 부부가 서로 궁합이 맞는다면 살아가면서 크게 문제 될 게 없다.

남편의 운이 없어서 돈을 못 버는 경우라 하더라도 아내가 남편을 돕는 사주라면 아내에게 생활능력이 생기게 되고 남편의 어려움을 극복하는데 정신적, 경제적 원조를 하게 된다. 이처럼 한 쪽의 부족한 부분을 채워주고 보완이 되는 관계라면 궁합이 좋다고 본다.

❀ 궁합 보는 법

궁합을 보는 방법 중 가장 알려진 것으로는 12띠를 가지고 보는 것인데 어떤 점에선 그다지 훌륭한 궁합법이라고 할 수 없다. 예를 들어 쥐띠와 말띠가 안 맞는다고 한다.

자기 띠와 6번째 만나는 띠는 무조선 상충의 운명이라 하여 서로 안 맞는다고 하는데 쥐띠와 말띠도 잘 살고 있는 경우는 얼마든지 있다. 그 다음 원진이라는 것인데 쥐띠가 양띠와 원진살이 형성이 된다. 그런 식으로 상충살과 원진살이 형성되는 걸 보면 다음과 같다.

상충살(相冲殺)

子(쥐)	서로 상충	午(말)
丑(소)	서로 상충	未(양)
寅(범)	서로 상충	申(원숭이)
卯(토끼)	서로 상충	酉(닭)
辰(용)	서로 상충	戌(개)
巳(뱀)	서로 상충	亥(돼지)

원진살(怨嗔殺)

未	원진(怨嗔), 귀문(鬼門)	子
申	원진(怨嗔), 귀문(鬼門)	卯
寅	원진(怨嗔), 귀문(鬼門)	酉
戌	원진(怨嗔), 귀문(鬼門)	巳
亥	원진(怨嗔), 귀문(鬼門)	辰

하지만 원진살이 있다 하여 다들 원수가 되는 것은 아니다. 사주의 궁합을 정확히 보려면 우선 생년월일시가 정확해야 하고 두번째 태어난 장소가 중요하다고 할 수 있다.

70

남녀 궁합법, 육십갑자병납음(六十甲子竝納音)

甲子,乙丑: 海中金[해중금]	甲午,乙未: 沙中金[사중금]
丙寅,丁卯: 爐中火[노중화]	丙申,丁酉: 山下火[산두화]
戊辰,己巳: 大林木[대림목]	戊戌,己亥: 平地木[평지목]
庚午,辛未: 路傍土[노방토]	庚子,辛丑: 壁上土[벽상토]
壬申,癸酉: 劍鋒金[검봉금]	壬寅,癸卯: 金箔金[금박금]
甲戌,乙亥: 山頭火[산두화]	甲辰,乙巳: 覆燈火[복등화]
丙子,丁丑: 澗下水[간하수]	丙午,丁未: 天河水[천하수]
戊寅,己卯: 城頭土[성두토]	戊申,己酉: 大驛土[대역토]
庚辰,辛巳: 白蠟金[백랍금]	庚戌,辛亥: 琳釧金[차천금]
壬午,癸未: 楊柳木[양류목]	壬子,癸丑: 桑?木[상자목]
甲申,乙酉: 泉中水[천중수]	甲寅,乙卯: 大溪水[대계수]
丙戌,丁亥: 屋上土[옥상토]	丙辰,丁巳: 沙中土[사중토]
戊子,己丑: 霹靂火[벽력화]	戊午,己未: 天上火[천상화]
庚寅,辛卯: 松柏木[송백목]	庚申,辛酉: 石榴木[석류목]
壬辰,癸巳: 長流水[장류수]	壬戌,癸亥: 大海水[대해수]

※사중금과 차천금은 화를 봐야 성공한다.
※벽력화, 천상화, 산하화는 물을 얻어야 복록이 있다.
※평지목은 금이 없으면 성취하지 못한다.
※천하수, 대해수는 흙을 만나야 된다.
※노방토, 대역토, 사중토는 나무가 없으면 무용지물이다.

생년으로 보는 궁합법, 납음오행(納音五行)

男金女金	부부의 정이 없고, 관재수와 재앙이 따른다.
男水女火	부부 불손하고 주위의 모든 이들과 악업을 만든다.
男金女木	부부 이별궁이요, 패망지격이라.
男水女土	불화를 자초하며 부부가 이별하리라.
男金女水	부귀 복록이 따르고, 부부금실이 좋다.
男火女金	매사가 막히고 자손이 드물며 재물이 흩어지리라.

男金女火	재산이 소멸되며, 부부근심 하리라.
男火女木	만사 대길이요, 사방에 이름을 얻으리라.
男金女土	부귀공명 격이고, 이름을 널리 알리게 된다.
男火女水	만사 대흉하여 상처를 하고 재물이 사라진다.
男木女金	부부가 해로하기 힘들다. 재앙이 속출하고 빈궁하리라.
男火女火	길한 것은 적고 흉한 것이 많다. 자손이 드물고 화재를 당하리라.
男木女木	길흉이 상반된다. 부부가 원만하면 재산이 부족하리라.
男火女土	부부가 해로하며 재물과 자손이 창성하리라.
男木女水	금실이 지극하다. 자손이 효도하고 부귀장수 하리라.
男土女金	재물이 풍족하고 근심이 없다. 부귀와 공명이 뒤따른다.
男木女火	일생을 금의옥실할 것이요, 만인의 숭상을 받는다.
男土女木	서로 불화하며 관재수가 빈번하고 재물은 있으나 속이 허전하다.
男木女土	금실이 불화요, 자손은 불효를 하고 패가망신이로다.
男土女水	자손이 동서로 사라짐이요, 가업이 차차 소멸될 것이다.
男水女金	부귀 격이요, 자손이 창대하여 두루 화목하리라.
男土女火	재물이 쌓이고 효자효부를 두고 만사태평하리라.
男水女木	재산이 흥왕하고 영화가 무궁하여 일가화순 하리라.
男土女土	자손이 창성하고 부귀할 격이다.
男水女水	부귀격이요, 영화와 공명이 만당하리라

위의 세 가지 외에도 많은 궁합법이 있으나 그 기준이 모호하고 발생의 근원이 어려워 궁합을 보는 판단의 축으로 보기에는 무리가 있다.

그렇다면 무엇을 중심으로 궁합을 보는 것이 더 정확한 것일까.

우선 나의 사주를 잘 봐야 하고 성격과 오행의 구성을 읽고 미래를 판단하여 나의 운명이 약한가 아니면 강한가에 따라서 상대의 운명이 나에게 도움이 될 것인지 아니면 해가 될 것인지를 잘 헤아려야 한다. 또

내가 상대에게 어떠한 도움이 되는지를 파악을 하고 서로의 도움이 되는 사주는 아무리 어려운 일이 닥치더라도 어려움이 없이 헤쳐 나아가게 되는 것이다.

궁합이란 결혼을 앞두고 있는 처녀총각의 만남과 결합의 중요한 과정이니 자세히 보아야 된다.

첫째, 남녀의 결혼 시기가 일치하는지를 본다. 두 사람에게 결혼의 때가 아니고 단순히 연애만 하다 헤어질 운인데도 결혼을 하게 된다면 나중에 두 사람 중 누군가에게 재차 다른 연분이 생겨서 그 혼인이 깨지게 된다. 그러므로 두 사람에게 모두 혼인의 때가 일치해 들어왔는지를 정확히 살펴봐야 한다.

둘째, 결혼의 때가 들어와 있는 남녀의 궁합은 일단 긍정적으로 보게 되지만, 태어난 일주를 비교하여 상합이 되는지 아니면 상충이 되는지, 또한 음양은 맞는지를 가려야 된다. 그리고 설령 음양이 맞는 경우라도 어느 한 쪽의 기운이 강하냐에 따라서 운명이 달라진다. 어느 한 쪽의 기운이 더 강하게 되면 점점 살아가면서 남들 보기에만 좋은 부부로 살게 되는 경우가 생긴다. 보통 아내 쪽에서 아기를 낳고 체념하면서 남편에게 맞추어 사는 경우가 많다.

셋째, 결혼의 시기와 일주의 합, 그리고 오행의 조화가 잘 어우러져 있는데 살(殺)이란 것이 있어 궁합을 포기하는 경우가 있다. 하지만 두 사람의 오행 조화가 잘 어우러져 있다면 살의 작용이 작아지게 되므로 결코 궁합의 잘잘못은 없다고 할 수 있다. 상담 사례를 보면 많은 살을 가지고도 잘 사는 부부가 있는데 그것은 부부가 서로 상생의 의지로 서로의 모자라는 부분을 감싸주면서 아픈 곳을 치료해 주기 때문인데 이야말로 진정한 궁합이라고 할 수 있다.

일부에서는 신분상승 혹은 정략적 목적을 가지고 배우자를 고르기도하지만 이렇게 맺어진 인연은 그 과정이나 끝이 아름다울 수 없다. 결혼은 무엇보다도 두 사람의 아픔과 고통, 그리고 기쁨과 사랑을 공유하면서 만들어가는 것이고 그런 배우자를 좀 더 정확하게 알아보기 위해 궁합을 보는 것이다.

❀ 좋은 궁합, 나쁜 궁합

본래 찰떡궁합이란 없다. 찰떡은 본래 찹쌀을 익혀서 무던히 떡메로치고 또 쳐야 맛나고 쫄깃한 찰떡이 되는 것이다. 사랑과 결혼생활도 이런 것이다. 아무리 좋은 사주라 할지라도 배우자의 인연이 좋지 아니하면 결코 찰떡궁합이 될 수 없다.

일단 좋은 궁합이 되는 조건은 사주의 맑음이다. 여러 가지 오만 잡다한 것이 사주에 엮여 있으면 삶이 복잡하게 되는 것이고 청명정대한 사주라면 좋은 사주가 된다. 이러한 사주를 가진 두 사람이 만난다면 금실은 물론이요, 성격도 잘 맞고 재물도 풍족하게 가지게 된다. 하지만 좋은 사주의 주인공이라 하더라도 자신의 궁합과 결혼의 시기, 연애의 시기를 잘 구분을 하지 못한다면 재혼과 삼혼을 불사하게 되는 것이다 그러므로 남녀의 결혼 시기가 궁합의 기초이며 가장 중요한 일이다. 궁합의 기본은 정혼인가 가혼인가를 따져서 가혼이면 결혼을 못하게 막아야 하고, 정혼이면 궁합을 따져서 옳고 그름을 가르쳐주어야 한다.

■ 사례 1) 궁합을 거스르고 거짓 사주로 결혼한 부부

女	庚	乙		辛		丙		男	乙		甲		辛		丁
	辰	丑		丑		申			亥		寅		亥		亥
	甲	乙	丙	丁	戊	己	庚		癸	甲	乙	丙	丁	戊	己	庚
	午	未	申	酉	戌	亥	子		卯	辰	巳	午	未	申	酉	戌

위의 명조(命條, 운명의 흐름)는 여자 분이 상담을 의뢰한 것이다. 정숙한 중년의 여인이 궁합을 보려고 온 사주는 아니고 남편의 직업궁이 궁금하여 방문한 명조의 사주인데 여러 군데 문의하던 중 나에게 찾아온 사람이다.

사주의 명조를 가만히 살펴보니 여인의 사주가 결코 쉬운 명조가 아님을 확연히 알 수가 있었다. 그럼에도 "부인의 사주는 참으로 좋습니다" 했더니 놀라는 눈치가 역력했다.

"제 사주가 좋다니요? 처음 들어보는 말인데요?"

"그 동안 여러 곳을 다니면서 다들 안 좋은 말들만 해주셨을 겁니다. 과부 사주니 바람둥이 사주니 결혼을 못하는 사주니 등등 듣기만 해도 불쾌한 말씀을 많이 들으셨지요. 그렇죠?"

"네, 말씀하신 대로입니다. 결혼도 쉽지 않았으니까요. 한 어르신께서 제 사주는 서방 잡아먹는 사주라고 해서 거금을 들여 궁합이 좋은 사주를 새로 만들어 남자 집안에 보내 결혼을 할 수 있었습니다. 원래의 사주는 남편이 일찍 죽고 재혼을 하게 되는데 그 사이에서 아이도 못 낳는 사주라고 하더군요."

그때 부인의 사주를 보고 그렇게 말씀해준 사람이 궁금해서 누구냐고 물으니 이미 작고하신 분이라는데 이름을 들으니 역학 분야에서 많이 알려져 있는 분이었다. 나는 부인의 사주에 대해 하나씩 설명해 주었다.

"부인의 사주는 일반적으로 보면 남자가 많은 것도 사실이고 또한 자식궁이 없는 것도 맞아요. 하지만 자세히 사주의 모양을 보면 지지에 연식은 모두 토금이고 하늘에 또한 금이 둘, 을경이 합하여 또 하나의 금, 병화는 합하여 수, 이렇게 사주가 변하여 모두 금국에 수가 생기게 되어서 부인은 이대(土)에 들어가서 가정과(水)를 이수하고 바로 결혼을 해서 공주님만 생산했겠군요."

그러자 부인이 놀란 표정으로 "정말 그렇게 나옵니까?" 했다. 다시 "그런데 부인의 남편은 공무원 중에서도 무서운 공무원이네요" 하니 부인이 웃으면서 "네, 맞아요"라고 긍정했다.

이 부인의 명조는 여인의 명조 중에서 가장 좋은 명조이다. 왜냐하면 종살격에 수가 당당히 있기 때문이다. 남편의 운을 도와 큰일을 할 수 있도록 돕는 명조이기 때문에 부인의 운명이 남들보다 훨씬 좋은 운명이 된 것이다.

이렇게 설명하자 부인은 자신이 다른 곳에 가서 물으면 신기가 있어서 남편한테 나쁘다고 하여 이래저래 돈도 많이 쓰고 공도 많이 들였다고 했다. 그래서 쓸데없이 굿이니 뭐니 하지 말고 종교를 가지라고 했더니 얼마 전부터 가톨릭 신자가 되었다고 하기에 잘했다고 했다. 부인이 물었다.

"제 남편이 50대 중반인데다가 진급이 어렵다고 조기퇴직을 할까 망설이는데 어찌 하면 좋을까요?"

"아직 남편의 기운이 10년 이상 남아 있으니 걱정을 하지 마세요. 진급은 당장 어렵겠고 전근을 하면 다시 진급을 할 것입니다."

그런 다음 2년 뒤에 부인이 다시 찾아왔다. 지방으로 발령이 난 지 2년 만에 다시 입성하면서 진급을 하였다면서 선물을 사가지고 인사차 왔다는 것이다. 인생의 상담자로서 매우 보람을 느꼈었다.

이렇듯 사주를 속여서 혼인을 맺는다 하더라도 자기 본래의 운명을 거스를 수는 없다. 거짓 사주를 가지고 거짓 인연을 만드느니 자신의 진짜 사주를 가지고 그 사주와 잘 맞는 배우자를 만나 결혼을 하였더라면 앞의 부인의 경우 훨씬 더 만족한 결혼생활을 할 수 있었을 것이다.

사례 2) 궁합이 좋은 부부

女	甲	癸	壬	己	男	丙	甲	戊	乙
	寅	亥	申	亥		寅	辰	子	未
		壬 癸 甲 乙 丙 丁					戊 丁 丙 乙 甲 癸		
		午 未 申 酉 戌 亥					寅 丑 子 亥 戌 酉		

이런 사주는 남자일 경우에나 여자일 경우나 모두 평범한 사주가 아니다. 나는 우선 "남편의 사주가 참 좋군요. 나랏일과 관련한 일을 하는 것 같은데 혹시 군에 계시는 분이 아니신지?" 하고 물으니 맞다고 고개를 끄덕였다. 그래서 다시 "그렇다면 진급 때문에 오셨나요?" 하니까 그렇다고 했다.

"그냥 계셔도 무난하게 진급을 하실 텐데 무슨 문제라도 있는지요?"

내 물음에 부인이 한숨을 내쉬었다. 그러면서 하는 말이, 남편을 잘 아는 분이 남편 모르게 진급을 도우려고 하는데 높은 사람에게 청을 넣으려면 큰돈이 필요하다고 했다는 것이다. 그래서 고민이 되어서 찾아왔다고 했다.

부인에게 말했다.

"남편의 성격은 갑목의 일주입니다. 그런 식으로 떳떳하지 않은 짓을 용납할 분이 아닙니다. 그건 부인이 더 잘 아실 겁니다. 그리고 그런 방법이 정당하냐 아니냐를 떠나서 남편의 사주가 진급을 할 시기인지 아닌지를 먼저 따져야 합니다. 남편과 부인의 인연이 좋아 궁합을 안 보고도 결혼이 이루어진 것이고 또한 두 분의 궁합이 좋아서 서로의 생각이 평소 잘 맞아 부부애가 좋았을 겁니다. 다만 자식궁이 부실합니다."

그랬더니 부인이 고개를 끄덕이면서 그 동안 번 돈은 모두 자식과 시댁 일에 쓰고 집도 없이 관사에서 살고 있는 중이라고 하소연을 했다. 그런 상황이니 진급만 할 수 있다면 돈으로라도 사고 싶은 심정이라고 말했다.

"내년에 좋은 일이 있을 듯하니 기다리십시오. 자리 이동과 동시에 진급이 될 것 같습니다. 그러니 공연한 데 돈을 쓰거나 구설에 휘말리지 않도록 하십시오. 편법으로 남편을 도우려다가 오히려 남편의 명예에 해를 입힐 수도 있습니다."

유혹은 언제나 사람의 약한 모습 앞에서 고개를 들게 마련이다. 부인의 어려운 환경을 이용하여 진급을 미끼로 부정한 손을 내미는 것은 결국 부인에게나 남편에게나 불행을 초래할 수 있다. 그러나 부인의 이런 내조의 마음이 있고 남편 또한 강직하므로 이 부부의 결혼생활은 순탄하고 행복할 것이다.

사례 3) 나쁜 궁합으로 결혼한 부부

'가면부부'라 하는 것은 본래 궁합은 좋지 않아 둘이 있을 때엔 부부애가 없으면서도 사람들 앞에서는 안 그런 척하면서 다정하게 사는 부부의 모습을 보여주는 커플을 말한다.

이러한 부부의 특징은 대외적인 모습은 아주 잉꼬부부처럼 행동을 하고 또한 자식과도 잘 지내는 것처럼 보이지만 속을 들여다보면 잔뜩 곪아 있게 마련이다.

즉 부부로서의 잠자리를 따로 하는 것은 기본이고 말과 생각이 서로 일치하지 않으며, 서로의 의사전달이 불확실하고 믿음 또한 없으며 서로의 필요에 의하여 어쩔 수 없이 함께 사는 부부이다.

15년 가까이 상담한 사례를 참고로 했을 때, 보통 10쌍의 부부가 있다면 그 중에 5쌍이 가면부부로 산다고 해도 과언이 아닐 정도이다. 아무리 경제적인 여건이 따라야 하고 무시할 수 없다 하더라도 부부의 근원은 첫째는 사랑이다. 물론 이 사랑은 정신적이 사랑을 의미하는 것이고, 그 다음이 육체적인 사랑이다. 보통의 부부는 잠자리에서 많은 대화가 이루어진다.

그 다음 중요한 게 외부적으로 보이는 조건, 양가의 배경이나 환경이다. 이 세 가지가 모두 일치하는 부부는 늘 화기애애하고 웃음이 떠나지 않는다.

丁		癸		乙		癸	
巳		亥		卯		丑	
癸	壬	申	庚	己	戊	丁	丙
亥	戌	酉	申	未	午	巳	辰

이 명조는 수3, 목2, 화2, 토1을 가진다. 이 사주는 묘월에 출생한 계수의 운명을 가진 여자인데, 남편의 자리는 축토가 남편이 된다. 하지만 축토는 묘목의 뿌리에 극을 당하여 아주 약해져 있는 명조다.

또한 사주가 계수의 일간이 약하고 목과 화가 강해져 있고 서로의 상생의 거리가 멀어 무정한 사주로 변하고 말았다. 본래 이 사주는 삶이 고단한 운명의 명조인데 하필 20대 초반에 남자 즉 무토가 천간에 계수와 합을 하여 나에게 들어오니 결혼을 하게 된 것인데 자세히 보면 나와 같은 계수가 또 하나 있어 남편과 합을 하고 있다.

이렇게 되면 결혼 당시 남편에게는 다른 여자가 있었다고 보이고 두 여자의 경쟁에서 지금의 아내가 남편을 취하게 된 것인데 자식을 낳고 나서부터는 남편과 각 방을 쓰게 되고 아내는 다른 남자들과 불륜을 유지하는 형국이었다.

본래 남편의 자리가 미약한데 자식(木)을 낳게 되니 더욱 약하게 되어 남편이 아내에게 오지 않게 되고 그 시간이 점점 길어지면서 여자는 다른 남자와 부적절한 관계를 맺게 된 것이다. 인연이 아니니 헤어지기 쉬운 사주인데 아내는 사회적 능력이 약한 반면에 남편이 벌어다주는 것이 풍족하므로 헤어지지 않고 가면부부로 살아가고 있는 것이다.

이런 상황이고 보니 상담을 하는 내내 남편의 운을 묻는 것이 아니라 현재 교제하고 있는 불륜남과 자신의 인연에 대해서만 집중해서 물었다. 나로선 좋은 말을 해줄 수가 없어서 계속 그 관계를 유지하다 보면 심각한 사태를 초래하게 된다고 주의를 주었다.

이 사주의 끝은 격금의 운명인데 그때는 또 어느 인연이 이 여인에게 힘든 삶을 같이 하게 될까 그것이 심히 걱정이 되었다. 이런 부부의 사주는 결혼을 하지 않아야 할 궁합이다.

戊		癸		丁		丁	
午		巳		未		酉	
乙	甲	癸	壬	申	庚	己	茂
卯	寅	丑	子	亥	戌	酉	申

이 명조는 수1, 화4, 토2, 금1을 갖는다. 이 사주는 한여름에 출생한 계수의 명조이다. 본래 이 사주는 아주 좋은 사주인데 무계합화격이란 명

조로 신강이라 한다. 신강이면 세 기구가 필요한데 유금이 연지에 있어 사주의 명조가 아름답게 구성이 된다.

이 사주의 부인은 귀한 집에서 어려움을 모르고 자랐는데, 남편의 운명과 나의 운명이 너무 가혹하게 이어져 있어서 여자의 사주에는 귀한 격도 어떤 때는 귀하지 않을 수가 있게 되는데 이러한 경우가 그러한 경우이다.

집안에서 정해준 배필과 인연을 맺고 한세상 자식과 오붓하게 사는 게 이 명조의 꿈인데 실정은 그렇지 않아 힘들게 사는 명조이다. 대운의 운명이 나에게는 좋은 듯하지만 나와 같은 오행이 남편을 둘러싸고 있는 형상이라 항시 여인의 문제로 평생 고생을 할 듯하다.

그렇다고 이별을 하자니 밖으로 표현을 할 수가 없고 또한 사회적 지위와 명성에 누가 될까 봐 이러지도 못하고 저러지도 못하면서 그냥 포기하고 사는 삶이 된 것이다. 이런 여자의 사주는 남자를 잘 만나면 바보 온달을 장군으로 만들 수 있지만 나에게 맞지 않는 남편은 평생 서로가 힘든 그러한 인연이 된 것이다.

이런 사주는 결혼 시기가 굉장히 중요한데 늦게 결혼을 하여야 함에도 불구하고 궁합을 보러 갔을 때 너무나 좋다고 하여 빠르게 결혼을 한 것이다. 그런데 막상 결혼을 하고 보니 남편은 다혈질 성격의 소유자이면서 서로가 통하는 것이 없고 잠자리 또한 안 맞아서 헤어지려고 했는데 아기가 생겨 이러지도 저러지도 못하고 한숨과 눈물의 삶을 살고 있는 것이다.

女	己	壬	甲	己	男	己	壬	庚	丙
	酉	戌	戌	未		酉	辰	寅	辰
	壬 申	庚 己	戊 丁	丙 乙		戊 丁	丙 乙	甲 癸	壬 申
	午 巳	辰 卯	寅 丑	子 亥		戌 酉	申 未	午 巳	辰 卯

이 부부의 사주는 가면부부의 극단적인 사례이다. 우선 남자의 사주
는 임일주가 인월에 태어나 본시 신약의 운명이다. 따라서 수의 기운이
절실한 명조인데 진유가 합을 하고 진중에도 미약하지만 수의 기운이 있
어서 생조가 되는 그러한 명조이다 하지만 약한 것은 어찌할 수가 없다.

이렇듯 사주가 약하고 월지에 식상이 주제하게 되면 남에게 허리를 숙
이는 것은 어렵다. 그래서 직장생활은 어렵고 항시 사업을 하려고 하게
되는데 운로가 도와주지 않는다면 백전백패를 하게 되고 성격이 너무 약
하면서도 겉으로는 강한 척을 잘하기 때문에 돈이 없어도 있는 척하는
허허장생의 운명이다. 부인의 사주에 수가 많이 있었다면 도움이 클 것
으로 생각이 드나 부인의 사주 또한 모두 토가 결성을 하고 있으니 도움
이 약하다. 또한 운로가 목화의 기운으로 흐르고 있어서 운명의 시간이
남자에게는 힘든 운명의 사주이다.

여인의 사주는 임일주가 가을 술월에 태어나 극신 약이라 다행인 것은
유시에 태어나 그나마 관인상생하고 초년의 운로가 수목의 기운이라 가
히 안성맞춤이다. 하지만 이 사주는 차라리 토의 시간에 태어났더라면
더욱 좋은 명조가 되는 즉 종살격이 되는 것이다.

종살격이 되면 한 남자에게 모든 것을 투자하여 바보 온달을 장군으로

만들게 되는데 하필이면 유시에 태어나 종격이 이루어지지 않고 관인상생의 운명으로 바뀌게 된 것이다.

이렇게 관인상생이 되면 남자의 덕으로 성공하게 되는데 이 사주의 특징은 다관살 즉 남자가 많다는 것인데 하나도 아니고 항시 여러 남자가 동시에 나에게 합을 하는 특이한 명조라서 언제 어느 곳이나 남자가 있어 문제가 생기게 되어 있다.

두 사람의 궁합을 보면 같은 임일주라 서로 잘 맞는 것처럼 보이지만 남자가 일방적으로 여인에게 목을 매는 형상이라 문제점이 발생하게 되는 것이다. 남자의 운명은 월지에 목을 타고 나서 베푸는 것과 동시에 마음이 열려서 항시 남에게 당하는 사주인데 억지 춘향격으로 이 여인에게 사랑을 느낌과 동시에 경쟁심리가 작용하여 이러지도 못하고 저러지도 못하면서 어쩔 수 없이 이 여인과 결혼을 하게 되었는데 처음에는 그러려니 하지만 시간이 지날수록 견디기 힘들 것이다.

아내의 사주가 워낙 남자 관계가 복잡한 사주이다 보니 직장생활을 하는 동안에 만나는 남자와 넘어선 안 되는 도를 넘는 게 다반사가 되었다. 그러다 보니 남편과는 점점 더 멀어질 수밖에 없다.

찾아 온 부인에게 "이렇게 많은 남자들에게 둘러싸여 있었으니 그 동안 삶이 녹록지 않았겠습니다" 했더니 남편도 그런 줄 알고 결혼을 했다는 것이다. 다시 "그렇지만 결혼하고 나서도 주변에 늘 남자가 끊이지 않았을 텐데 남편이 여전히 이해를 해 주는지요?" 했더니 남편만 모르면 되지 않겠느냐고 했다. 그 말을 듣고 당황하면서도 자기 사주를 피해 살 수는 없는 건가 하는 생각으로 착잡하기도 했다.

이런 경우 남편이 아무리 평범한 결혼생활을 하려 해도 이루어질 리가 없다. 여자의 잦은 부정은 남편과의 불화를 조장하고 부부간에 애틋함이 사라지니 당연히 아이들과도 좋을 수가 없다. 그러니 겉궁합만 보고 결혼을 했다가 이런 불행한 결혼생활을 할 수 있으니 궁합을 어찌 무시할 수 있겠는가.

사례 4) 두 사람의 의지는 나쁜 궁합도 극복한다

좋은 궁합과 나쁜 궁합은 거의 손바닥과 손등이라고 할 수 있다. 모든 사주는 양과 음의 결정에 한하여 결정된다고 볼 수 있다. 그럼 양과 양은 궁합이 좋을까 나쁠까? 일단 양과 양끼리는 궁합의 실패 확률이 높다.

왜냐하면 양은 보통 남자의 성격을 가지고 태어난다. 그래서 한 번 싸움이 붙으면 너 죽고 나 죽자는 식으로 극렬한 싸움이 유발된다. 이 부부의 싸움에선 집안의 살림살이는 툭하면 깨지고 부서지고 서로에게 상해를 입히기도 한다. 그야말로 다시는 안 볼 원수들처럼 싸운다.

그렇다고 늘 전투적인 것은 아니다. 좋을 때는 또 언제 그랬냐는 듯이 열정적으로 행동한다. 하룻밤에도 좋은 것과 나쁜 것이 순식간에 바뀌면서 무엇이든 넘치는 에너지를 드러낸다.

그렇다면 음과 음의 조합은 어떤 궁합일까? 이 역시 나쁜 궁합이라고 할 수 있을까? 결론부터 말하면 아니다.

음과 음은 둘 다 여성적인 성격을 가지고 있기 때문에 싸움이 없다. 하지만 한 번 받은 깊은 상처는 쉽게 잊지 못하고 담아두게 된다. 그것이 간혹 깊어져서 우울증, 무기력증, 불면증 등과 같은 질병의 형태로 나타나기도 한다.

이렇듯 음과 음, 양과 양 이러한 일주의 만남은 그 자체로서는 긍정적인 측면이 있다. 일단은 서로 상대방의 생각을 가장 잘 알고 이해할 수 있기 때문이다. 남자와 여자가 아니라 동성의 입장에서 생각하게 된다. 여자가 양에 해당한다면 너그럽고 시원시원한 기질을 보이고, 남성이 음의 운명이라면 차분한 성격의 소유자가 되면서 세심하게 상대방을 배려할 수 있게 된다.

물론 단점도 있다. 양을 가진 여성의 경우 남성적인 면모로 인해 남편에게 여성스러움으로 어필하는 것이 어렵고, 음을 가진 남성의 경우 아내에게 여자처럼 속이 좁다는 인식과 함께 오지랖이 넓다는 불만을 살 수 있다.

이러한 궁합의 부부는 서로의 감정을 다치게 하지 않으면서 상대방을 이해하고 각자의 흐름에 맞추어 주려는 노력을 기울여야 한다.

女	己	丙	辛	庚	男	辛	甲	壬	丙
	未	午	巳	子		未	寅	辰	申
		甲 癸 壬 申 庚				戊 丁 丙 乙 甲 癸			
		申 未 午 巳 辰				戊 酉 申 未 午 巳			

이 두 사람의 명조는 남자의 부탁으로 궁합을 본 예이다. 남자의 사주를 보면 갑목은 양의 운명을 타고난 명조이다. 부인의 자리를 살펴보니

월지 진과 시지의 미토 이렇게 보이는 것은 2이다.

한 번의 결혼이 성사가 되어 지금껏 살아온 명조인데 두 사람의 운명은 그다지 순조로운 형상을 갖고 있지 않다. 남자의 운명이 양이라서 일단 좋은 직업을 가질 수 있어 공무원의 길로 들어서서 중매로 결혼을 하여 자녀를 두고 나름대로 안정적인 삶을 사는 모습이다.

하지만 이 두 사람의 삶이 그리 평탄하지만은 않았음을 알 수 있다. 아내 되는 사람의 일주 또한 양의 운명인데다 강렬한 화염의 성질을 품고 있어서 남편의 갑목을 항시 태우려는 본성을 보이기 때문이다. 부부싸움이 생기면 아내의 기를 감당하지 못하고 남편이 도망가기에 바쁠 게 뻔했다.

"우리는 원숭이와 쥐띠인데 다들 궁합도 볼 필요 없는 좋은 궁합이라고 말들 하더라고요. 그래서 결혼하고 나니 오히려 궁합이 나쁘다고 해서 중간에 헤어질까 하는 마음도 여러 번 들었지요. 그런데 남편이 공무원이고 이혼을 해도 재혼을 할 자신이 없어서 이혼을 하지 않으려고 가능하면 다툼을 피하면서 지금까지 살아왔습니다."

결국 아내가 자신의 센 기를 누르고 결혼생활을 유지하려는 노력을 기울였기에 분쟁과 이혼이 예상되는 이 부부의 결혼생활이 유지될 수 있었던 것이다.

女	己	乙	戊	癸	男	乙	己	癸	丁
	酉	巳	午	卯		亥	卯	卯	酉

어느 날 한 부인이 방문하여 남편과의 궁합에 대하여 물었다. 부인의

사주를 보니 음의 사주이고 적당한 화(花)에 남에게 베풀 줄도 아는 성품을 지니고 있었다. 여성의 사주가 음을 타고나면 부드러움이 있어 좋다. 월지에 화가 있어 생활능력도 있고 자식궁도 좋았다. 이러한 명조는 남편이 받쳐만 준다면 사업으로 큰돈을 벌 수도 있는 사주이다.

그래서 남편의 사주를 보니 기일주의 음의 사주인데다 모두 음 일색이었다. 당장 어떠한 활동성도 화려함이 보이지 않으니 안타까운 사주였다. 그런데 음과 음이 만났으니 서로의 겉모습만 보고 결혼을 하였는데 출산 후부터 서로의 결점과 서로의 단점이 상처를 주게 된 것이다. 결혼하고 자꾸 안 좋은 문제가 생겨 송사에까지 휘말리게 되고 그러다 보니 별거와 재결합을 반복하기도 했다고 한다.

"결혼하기 전에 궁합을 봤더니 천생연분이라고 해서 무리하게 결혼을 한 건데 이렇게까지 문제가 많을 줄 몰랐어요. 결혼생활이 너무 힘드니까 마음에 병이 생겨 병원에 가니 우울증이라고 하더군요. 그래서 여기저기 쫓아다녀 굿도 하고 부적도 써 보았지만 달라진 게 없었어요. 이젠 더 가서 물어볼 데도 없고 여기가 마지막이라는 심정으로 왔습니다."

나는 두 사람에게 서로 무리한 결혼을 해서 일어난 일이지만 헤어질 정도는 아니니 각자의 일을 열심히 하면서 친구처럼 편하게 지내라고 말했다. 그리고 부부간의 성생활에 거리를 두면 오히려 질병과 금전 문제들이 더 좋아질 거라고 했다. 그랬는데 그 부인이 3년이 지났을 때 다시 찾아왔다. 부인은 처음에 방문했을 때보다 훨씬 얼굴이 밝고 화사했다.

"선생님 말씀처럼 친구처럼 남편을 대하고 남편도 역시 절 그렇게 대해 주었는데 싸움도 줄고 집안이 평온해졌습니다. 물론 우울증도 좋아졌고요. 그리고 사업도 잘 되니 이 모든 것이 선생님 덕분입니다."

이 부부의 경우도 궁합은 비록 나쁘지만 서로를 친구처럼 대하면서 나쁜 궁합을 극복한 예라고 할 수 있다.

┗ 사례 5) 초혼에 실패하고 재혼에 성공한 부부

초혼의 사주와 재혼의 사주의 특징은 두 가지의 운명에서 갈라진다. 어느 사주든지 정혼이란 것이 있고 가혼이란 것이 있다. 여인의 사주에 남자가 오는 시점이 혼인을 표시하게 되는데 그 시점이 남자가 오느냐, 아니면 남편이 오느냐에 따라서 정혼인가 아니면 가혼인가를 하게 되는 것이다.

일단 가혼이라는 것이 오게 되면 여성은 남편을 맞아 아기를 잉태할 준비가 되어 있기 때문에 어느 남자가 오든 일단 혼인과 출산을 동시에 맞게 되는 것이다. 하지만 이러한 운명이 결혼을 하고 살다가 또 다시 정혼의 운명이 오게 되면 지금껏 살아 온 가혼의 운명이 깨지고 새로운 정혼의 운명이 시작되는 것이다.

또한 가혼이라는 것은 흔히 콩깍지(원진의 합)에 씌여서 결혼을 한다고 하는데 이 콩깍지는 이르면 결혼 후 바로, 조금 늦으면 출산 후 벗겨지게 된다. 가혼이면 거의 원진(원진)의 합으로 이루어지기 때문에 이러한 경우에는 결혼의 실패를 맞게 되는 것이다.

어쩔 수 없는 경우 이혼을 하게 되더라도 새로운 인연은 있게 마련인데 그 기회가 정혼의 기회로 온다면 재혼 후 행복한 삶을 영위하게 되는 것이다. 그런데 남성이나 여성의 사주에 배우자가 두 명 이상이 있는 경우가 있다. 이러한 경우에도 역시 한 번의 결혼으로 마무리가 안 된다. 보통 늦게 결혼을 하라고 하는 경우의 사주에는 이성이 많거나 아니면 많아지는 시기가 일찍 오는 경우에 한하여 늦게 보통 30살 이후 결혼을 하라고 하는데 그 이유는 혼전에 많은 성경험(합궁)을 하고 모든 이성이 끝나는 시점에 결혼을 하라고 하는 것이다.

이러한 후자의 명을 가지고 있는 사람들은 바람둥이라 불리게 되며 여인은 이성 관계가 복잡하게 되는 것이다. 그러므로 일찍 결혼을 하게 된다면 배우자의 인연이 남아 있으므로 바람을 피운다거나 이중생활을 한다거나 재혼을 하게 된다.

초혼에 실패하고 하는 재혼인 만큼 더욱 잘 살아지기를 바라는 게 사람들 마음이다. 재혼의 목적은 아픔을 가지고 또 다시 삶을 꾸려나간다고 하는 어려움이 있기 때문에 재혼을 할 때는 신중을 기해서 서로의 오행과 생각이 일치가 되는 사람을 선택해야 한다.

女	己		戊		癸		丙		男	己		壬		庚		丙	
	未		戌		巳		申			酉		辰		寅		辰	
	壬	辛	庚	己	戊	丁	丙	乙		戊	丁	丙	乙	甲	癸	壬	辛
	午	巳	辰	卯	寅	丑	子	亥		戌	酉	申	未	午	巳	辰	卯

이 부부의 명조는 둘 다 한 번의 아픔을 가지고 새롭게 시작하는 재혼의 사주이다. 먼저 여자의 사주를 보면 무토의 일주가 월령에 사월을 타

고나서 강하게 태어났다. 시간 또한 미월이라 삶이 순탄하지 않을 명조가 된 것이다,

남편 것을 보니까 미중에 숨어 있는 작은 남편이라, 이 부인의 전생에 무슨 잘못이 있어서 이렇듯 작은 남편이 온단 말인가. 어려서 남자를 만나 사랑을 진실로 하였으나 인연이 길지 못하니 혼자 외로이 세상을 살게 된 것이다. 하지만 남편의 자리가 부실하니 남편이 하는 사업도 어렵다. 아무리 도와주려고 해도 밑 빠진 독에 물붓기인 것이다.

"언제나 일이 자리를 잡을까요?"

남편이 물었다.

남자의 사주는 갑목의 운명이라 사람 됨됨이가 가히 좋다. 허나 여름에 출생하여 나무가 너무 건조한데 시간 또한 사화의 명조라 목을 버리고 황토로 좋으면 좋으련만 운명의 흐름은 녹록지 않게 금수의 수운으로 흘러 종을 버리고 인수를 득하니 예술계에 종사하는 명조가 된다.

사람이 좋다 하여 많은 이들이 팔을 걷고 도와주려고 하고 또한 자신의 책임은 결단코 지키려 하니 그 방면에선 인정을 받을 사주였다. 그런데 안타까운 건 지지가 화토 일색인데다 시간에 기토가 다시 하늘에서 나에게 합을 해옴이니 그냥 봐도 여자가 너무 많다.

다행이 술토의 대운이 따라주어 새로운 사람이 나타나 나에게 새로운 길을 열어주게 되는데 귀인이라 어떠한 일이 있어도 새로운 인연과 나머지 한 세상을 꾸려가야 될 것이 분명했다.

"지금 재혼하신 부인의 말을 잘 듣고 따르면 복이 올 것입니다. 초혼에는 비록 실패했지만 아내 되는 분이 남편을 잘 보완하여 도움을 줄 사주

이니 부인과 힘을 합치면 좋은 결혼 생활을 하실 수 있습니다. 다만 주위의 여자들을 조심하시면 됩니다."

"재혼까지 한 마당에 세 번은 하지 말아야지요. 선생님 말씀도 있고 하니 아내를 존중해서 열심히 살겠습니다."

뜻이 있어 아무리 나쁜 운명일지라도 스스로 개척을 하면서 주어진 운명에 거슬리지 않는다면 늘 행복과 사랑이 떠나지 않는다.

▍사례 6) 금기의 사랑을 하는 궁합

己		丁		壬		癸	
酉		亥		戌		丑	
甲	乙	丙	丁	戊	己	庚	申
寅	卯	辰	巳	午	未	申	酉

위 명조는 화1, 수3, 토3, 금1이다. 이 사주는 보기에 따라서 달라질 수 있다. 정화의 일주가 가을에 태어나 신약인데 생조를 해줄 수 있는 목이 사주에 하나도 나타나 있지는 않고 지장간에 숨어서 항시 도와주려고 하고 있다. 하지만 가을에 정화가 힘을 쓰지 못하고 또한 태어난 시간이 유시라 이 사주는 가을 정화에 관살에 종하는 종관격의 사주인데 월간에 임수가 항상 합을 하여 목을 만들어 기신이 됨과 동시에 나쁜 역할을 하게 된 것이다. 또한 사주 전체에는 모두 연합의 기질이 다분하다.

이렇게 사주가 일방적으로 연합이 많거나 종하게 되는 사주들은 하나의 특색이 있게 되는데 이 사주의 주인공은 남자가 배우자의 자리에 있어야 되는데 배우자의 자리가 연합이 되고 또한 지지에 숨어 있는 장간에 모두 여자가 있다.

이렇게 연합과 많은 여자를 내포한다는 것은 배우자가 많다고 하는 것인데, 나 역시 변하여 종하게 되니 나 또한 자식(水)에게 따라갈 수밖에 없는 것이다. 허나 이 또한 자식이 너무 많으니 자식을 생산하기가 어렵다.

이 사주를 가진 상담자는 직업상의 문제와 애정에 관하여 문의를 하였는데, 나는 그에게 국내에서는 어렵고 외국에서 더 좋은 수가 있다고 했더니, 그 동안 동남아시아에 있었다고 했다.

"이 사주는 금수로 종하는 사주라 차라리 유럽이나 미주로 갔었더라면 더 좋았을 겁니다. 그리고 배우자도 그곳에서 찾는다면 좋은 배필을 만날 수 있었을 텐데, 여기서 배우자를 찾자니 여인의 향기보다는 남성의 향기를 더욱 필요하게 된 것입니다. 사주가 너무 한습하여 배우자는 없고 연인은 있는 명조인데 연인도 같은 동성에 끌리게 되는 사주입니다."

찾아온 여자 분은 조용히 고개를 끄덕였다. 자신도 어쩔 수 없이 동성에 끌리는 사람이 있는데 이런 성적 취향을 바꾸려고 노력해야 자신의 올바른 운명을 개척할 수 있다고 생각한다.

癸		申		丙		庚	
巳		酉		戌		申	
甲	癸	壬	申	庚	己	戊	丁
午	巳	辰	卯	寅	丑	子	亥

이 명조는 금3, 화2, 토1, 수1이다. 이 사주는 본시 신금일주가 강한 사주이고 가을 출생이다. 하여 사주의 흐름상 당장 따스함을 필요로 하니 병화가 생명의 신이 된다. 그런데 자세히 보면 지지는 모두 연합을 하여 김국으로 모두 변해버린 사주이다.

병화가 홀로이 지키고자 하나 신금일주가 연합을 하여 또한 힘을 못 쓰는 명조가 된 것이다. 이렇게 본래의 사주는 좋은 명조를 타고 났으나 사주가 변하여 무용지물이 되어버린 사주인 것이다. 무릇 사주를 판단할 때는 강함과 약함, 추움과 따스함을 골고루 살펴서 판단하지 않으면 전혀 다른 사람의 사주를 보게 될 수 있기 때문에 늘 제대로 사주를 보자고 다짐하고 있다.

앞의 사주와 너무 동일한 명조이다. 하여 두 사람이 동남아시아 쪽에서 만나 같은 일을 하면서, 느낌이 통하는 인연으로 서로 연정을 주고받는다면 동성 커플이 될 확률이 높은 것이다.

이 두 사주의 틀린 점은 하나는 완전히 중하게 되는 것이고, 밑의 사주는 항시 변할 수 있는 사주라는 것이다. 왜 그런가 하니 아래의 사주는 대운에 흐름이 금수라 어쩔 수 없이 따르는 것이고 자신의 운, 즉 따스함화가 오거나 목의 대운이 온다면 종을 버리고 자신의 삶으로 돌아갈 사주이기 때문에 위의 사주와는 차원이 다르다. 하지만 방문객이 올 즈음에는 두 사람 모두 어려운 시기에 봉착이 되니 한마음 한 몸으로 어려움을 서로 돕게 된 것이다.

이렇듯 남자와 남자, 여자와 여자 이렇게 만나는 인연도 잘 살피면 힘들 때 도움이 많이 되는 것을 보게 되는데 본래 사주가 이성과는 거의 인연이 어렵고 동성과의 인연이 더 가까움을 좋아 하게 되는데 어쩔 수 없는 궁합의 이치가 아닌가 한다.

戊		申		壬		丙	
子		亥		辰		辰	
庚	己	戊	丁	丙	乙	甲	癸
子	亥	戌	酉	申	未	午	巳

위 명조의 오행은 금1, 토3, 수3, 화1이다. 이 사주는 신금의 일주가 진월에 태어나 본시 신강의 사주로 구성이 되었는데, 월간에 임수가 투출이 되어 식신 격에 성립이 된 것에다 또한 지지일식으로 해자축의 수국을 이루면서 진중에 계수가 너무 많아 신강에서 신약의 명조로 바뀌게 된 명조이다.

하여 이 사주를 지닌 사람은 분명 남성임에도 여성적인 억양과 행동거지를 보이면서 평범하지 않은 문제로 상담을 하려 한 것이다.

아직 미혼인 이 남자는 흔히 그런 사람들이 궁금해 할 결혼 시기나 상대에 대해서는 묻지 않았다. 그저 자기가 친하게 알고 지내는 한 남자와 자신의 다가올 운명에 대해서만 집요하리만치 알고 싶어 했다.

"이렇게 사주를 한습하게 태어난 명조는 따뜻한 4월의 출생자이면서도 지지연식으로 수기가 강하니 이러지도 못하고 저러지도 못하는 양면성의 삶이 주어지게 된 것이다. 사주가 약하여 화토가 동시에 오면 딱 정신을 차리고 한 남성의 삶으로 돌아갈 수 있을 텐데 화토가 동시에 오지를 않으니 이것이 문제입니다. 또한 이 사주는 물이 많이 있고 흐르는 물이라 항시 이곳저곳을 다니면서 사람을 몰고 다니는 직업이 잘 맞습니다. 해외여행 가이드를 한다면 가장 좋을 사주입니다."

"네, 제가 지금 그 일을 하고 있습니다."

"직업 궁과 동시에 부부 궁이 이렇게 돼 있는 사주의 특징이 이성에게 관심이 없고 오로지 동성에만 관심이 깊어질 사주입니다. 솔직히 결혼은 어렵다고 나옵니다."

"저 역시 결혼 같은 건 하고 싶지 않습니다. 여자에게도 관심이 없고요."

남자이면서도 여자에게는 관심이 없고 같은 남성에게서만 애정이 구해진다니 본인으로서도 답답할 수밖에 없다. 이러한 사주가 지지에 하나의 목이 뚜렷이 있다면 참으로 좋은 명조가 될 것인데 모두 물 속의 여자들이라 배우자 구하기가 하늘에 별 따기가 될 듯싶다.

세상에는 금기의 사랑을 하면서 남 몰래 눈물을 흘려야 하는 사람들도 있으니 그걸 권하고 맺어 줄 수 있는 역학자와 비책은 없다.

PART 4

박규태

비즈니스 성공 좌우하는
브랜드 네이밍

예당브랜드연구소 소장. 예당 철학원 원장. 공주대학교 대학원 역리학과 석사학위. 공주
대학교 내 정신문화연구소 작명분야 논문 편집위원.
저서 : 『정신과학 역리편(총론)』
사이트 http://www.yedangwon.com
전화 : 02-501-7808 / 02-501-7416

❀ 성명학의 유래와 의의

성명학이란 성명으로 그 사람의 길흉화복(吉凶禍福)을 판단하는 학문이다. 성명학은 중국에서 문자를 해석하던 측자파자법(測字破字法)에 기원이 있지만 그 원리는 음양오행설에 근거를 둔 분석법이다.

성명은 사주와 같이 태어날 때부터 선천적으로 정해지는 운명을 판단하는 것이 아니라 부르는 이름이 운명에 미치는 영향을 학문적으로 연구하는 원리역학(原理易學)인 동시에 응용역학(應用易學)인 행술에 속한다. 선천적으로 부족한 운을 가지고 태어난 사람이라도 후천적으로 좋은 운으로 만들어 갈 수 있다는 희망을 주는 것은 다른 역리학과 달리 성명학만의 특징이자 장점이라고 할 수 있다.

우리나라의 성씨 제도는 고대부터 있어 왔으나 중국의 한족에게서 영향을 받으면서 변화가 있었다. 고래의 성씨는 성과 씨의 구별이 없었으며 성은 상류계통에만 사용하였고 일반 서민은 이름만 있었다. 이런 관습은 조선 말기까지 이어져 노비나 천민에게는 성이 없었다.

성의 한자식 표기는 백제에서부터 시작을 하였으며 성 외에 본이나 본관이 붙기 시작한 것은 당나라의 영향을 받은 신라시대 때부터였다. 그 후 조선시대의 성명학은 유교의 정명사상(正名思想) 영향을 많이 받았다. 공자는 '정명언순(名正言順)'을 주장했다. 즉 "이름을 바르게 하면 그 사람의 말과 행동이 바르게 된다"는 것이다.

중국의 명가철학(名家哲學)은 여기서 한발 더 나아가 명(名)을 중요시하여 일상의 모든 명으로 잘못된 부분을 바로잡으려고 하였다. 즉 모든 것은 명명되는 이름이 있으므로 이 법칙과 질서를 지켜야 한다는 점을 강조하였다. 이 원칙은 유교사상으로 통치를 하던 조선의 성명학에도 그대로 반영되었다.

성명이 그 사람에게 얼마나 중요한가에 대해서는 『예기(禮記)』『춘추(春秋)』『좌씨전(佐氏傳)』같은 고전에도 실려 있다. 『예기』의 「곡예상(曲禮上)」을 보면 "아들의 이름을 지어줄 때는 나라 이름으로 짓지 않으며, 해와 달로 짓지 않으며 은질(隱疾)로 짓지 않으며, 산과 강의 이름으로 짓지 않는다"고 기록하고 있다. 그리고 『춘추』에는 "높은 사람이나 부모님 그리고 현자의 성명으로 작명을 하지 못하며 부모의 이름을 함부로 부르지 못한다"는 내용도 있다. 이름은 그 사람을 대표하는 분신으로 생각하였기 때문이다.

임금이나 부모의 함자를 함부로 부르지 못하던 조선의 풍습은 중국의 풍습을 기록한 예기나 춘추의 영향을 많이 받은 것으로 본다. 조선총독부의 『조선의 점과 예언』을 보면 조선의 성명학자들은 성명만을 가지고 독자적으로 인간의 길흉화복을 점치고 했음을 알 수 있다. 30년 전에만 해도 측자파자점, 월령도, 태을신수가 있었지만 역리학계의 무관심 탓으로 이제는 완전히 맥이 끊긴 것과 같이 성명도 예전의 방법들은 점차 사라져 가고 있다.

인간을 동양철학적 관점으로 본다면 소우주라 할 수 있다. 인간은 우주의 생명력인 하늘과 땅의 기운을 머금고 출생하게 된다. 그래서 사람은 태어나면서부터 바뀌지 않는 우주의 선천명기를 받고 태어나게 되는 것이다. 이것을 역리학적인 용어로 숙명이라 한다.

선천명기로 보는 역리학으로는 일반적으로 많이 알고 있는 사주나 자미두수, 기문둔갑, 하락이수, 참평비결, 범위수 등이 있다. 반면에 사람이 살아가는데 숙명도 중요하겠지만 노력에 따라 운의 변화가 생긴다고 믿는 성명학이나 풍수지리학 등이 있다.

인간이 동식물과 다른 것은 이름을 서로 불러주는 후천명기를 가진 점이다. 그래서 인간만이 스스로 하늘의 선천명기에 부족한 힘을 후천명기로서 보완을 하거나 바꿀 수가 있다. 그래서 성명학과 풍수학은 인간의 지혜로 만든 학문 중에 최고의 극점이라 할 수 있다.

성명은 본인은 물론 본인과 연관이 되는 육친까지 길흉화복에 영향을 미친다. 성명학은 선천운을 강조하는 사주와는 달리 후천운을 강조하는 학문이다. 그래서 사주에서 부족한 오행의 운명을 보완하고 좋지 않은 운명을 좋은 쪽으로 유도 내지는 보완하는 것을 목적으로 한다.

그렇지만 성명의 중요성을 알아도 그걸 정확하게 판단할 수 있는 안목이 없다면 판단의 오류가 생길 수 있다. 예전부터 중국에서는 성명학자라면 반드시 심법(心法)과 자법(字法)을 얻어야 했다. 즉 심법은 사건이 있기 전에 먼저 기미와 만남을 포착하여 예언적 제시를 하는 것을 말한다. 그리고 글을 가지고 보는 자법으로서는 글자의 진행과 현상을 파악

하여 길흉화복을 결정한다고 하였다.

성명학에 대한 학문적인 연구와 고찰이 부족하다면 성명풀이가 제대로 이루어지지 않을 것이다. 그리하여 해석이 그릇되거나 작명이나 개명이 올바르게 되지 않는다면 오히려 그냥 두느니보다 못한 게 될 수 있다. 그러므로 성명에 대한 진단을 받으려면 그만큼 체계적이고 깊이 있는 성명학자에게 답을 구하는 게 좋다.

잘 지은 이름은 운세가 변환된다. 특히 먼저 변화가 되는 것이 정서가 안정되고 사고가 건전해지므로 인해 성격과 심성의 변화가 온다. 먼저 심성이 변화되면 행동이 변화될 것이며 사고가 변화되어 운명의 노선을 바꾸게 된다. 심성이 바뀌므로 운명이 바뀌는 것으로 본다.

성명학은 사주명리학과 깊은 연관이 있다. 사주의 근원을 이루는 오행설은 처음부터 중국에 있었던 학설은 아니다. 오행설이 있기 전에 중국에는 음양이라는 학설만 있었다. 오행설은 메소포타미아 문명을 받아들인 인도를 통해서 중국으로 유입되었다. 인도를 거쳐 중국으로 건너온 오행설로 인해 상수역인 육효와 괘상성명학이 만들어지게 되었다.

명리학의 기원은 주나라 낙록자의 삼명소식부로부터이며 한나라 때의 동중서(B.C. 197~104년), 사마천(B.C. 145~80년), 관로 진나라의 곽박(276~324년), 당나라의 원천강, 이허중으로 전해 내려왔다. 이필로부터 명학(命學)을 전수받은 이허중은 역원(曆元)을 기본으로 연월일시를 위주로 하여 인명의 화복을 논하였으니 팔자(八字)라는 이름이 이때부터 유래되었다고 한다.

사주의 문헌에서 나오는 신살들은 성명학에 사용하는 신살에 많은 영향을 주었다. 그리고 사주의 육친과 만민영의 소리오행은 현대 음파성명학의 근원을 이루게 되었다. 명리는 작명할 때에 필히 참조해야 하는데 이것은 작명을 하려는 당사자의 사주에 부족한 오행 기운을 보완하는 역할을 하는 것이므로 사주와는 밀접한 연관을 가지고 있다.

현대에 오면서 세계화의 영향으로 한자식 이름보다는 부르기 좋고 개성 있는 이름으로 작명하는 경향으로 바뀌었다. 특히 인터넷의 시대를 살면서 닉네임이나 애칭 등 온라인용 네임이 따로 발달하면서 이름은 이제 그 영역과 효용이 확대되고 있다. 그러나 어떤 것이든 그 사람을 대표하여 불린다는 것을 전제할 때에 어떤 이름이라도 아무 거나 지어서쓸 일은 아니다.

(* 이 부분은 필자인 박규태의 석사논문(공주대학교 대학원 역리학과)인 〈성명학의 이론 정립과 과제〉에서 발췌하였음.)

❀ 브랜드 네임에도 궁합이 있다

브랜드명은 그 기업을 대표하는 동시에 이미지에도 영향을 미친다. 소비자의 입장에서 브랜드명이란 그 기업과 기업에서 생산해내는 상품에 대한 이미지로까지 연결된다. 유사한 상품을 판매하면서도 브랜드명에 대한 선호도 때문에 수익의 차이가 생기기도 한다. 브랜드명은 따라서 어떤 이름을 갖느냐에 따라 기업의 존립에도 영향을 미치게 된다.

지금의 브랜드와 유사한 명칭이 사용된 것은 BC 2000년께 이집트와 메소포타미아 지역이나 고대 중국의 도자기나 기와 등에 도공의 가게 이름이나 성명, 지역의 명칭 등을 뜻하는 로고나 문양이 새겨진 것으로 그 시초를 보고 있다. 그때의 양식은 소유권을 분명하게 하기 위한 표식인 셈이었다.

브랜드(Brand)란 어원은 뜨거운 것으로 지져 표시를 새긴다는 'brand-er'에서 유래되었다. 브랜드는 좁은 의미의 인명(人名, People Branding)만을 이야기하지는 않는다. 넓게는 회사명, 제품명, 도시명, 건물명, 지역명 등등 포괄적으로 해당한다. 21세기 정보화 사회에서는 홈페이지 이름, 사이트 이름, 블로그 이름, 카페 이름, 친목단체 이름, 애완동물 이름 등의 광범위한 명칭에 두루 적용된다고 할 수 있다.

기업에 있어서의 브랜드명은 자사 제품을 고객에게 인식시키고 다른 기업과 차별화하기 위한 수단으로 사용한다. 미국 다트머스 대학의 케빈 켈러 교수는 강력한 브랜드(strong brand)와 신뢰(trust)를 위기 탈출의 처방전으로 제시했다.

그는 디즈니 · 포드 · 인텔 · 나이키 · P&G · 코닥 등 세계적 유명 기업들의 브랜드를 더 효과적으로 알릴 수 있는 전략을 개발한 사람으로서 사람들은 믿음이 가는 브랜드 하나를 선택해 그 기업의 제품을 고집하려는 경향이 있다고 말한 바 있다.

그는 브랜드의 중요성으로 사람들은 물건을 구입할 때 이미 인지된 브랜드의 이미지를 가지고 물건을 구입하려는 경향이 있기 때문에 좋은 브랜드 이미지를 확보하는 것은 고객의 구매 욕구를 확보하는 것과 같다고 지적하였다. 그러면서 브랜드의 중요성에 대해 이렇게 말하였다.

"고객이 브랜드에 대해 더 많이 알고, 더 친숙하게 느낄 수 있도록 해야 합니다. 강력한 브랜드는 경쟁 상품과 비슷한 점(points of parity)과 다른 점(points of difference)을 동시에 갖고 있습니다. 전자는 신뢰, 후자는 가치와 연계되어 있지요. '밀러 라이트'라는 맥주는 다른 맥주 못지않게 맛은 좋으면서(parity) 칼로리는 적다(difference)는 특징이 있지요. 이런 메시지를 꾸준히 소비자에게 전달하고 신뢰를 획득해야 합니다. 결국 밀러 라이트는 남성뿐 아니라 여성들 사이에서도 큰 인기를 얻었습니다."

물론 모든 기업은 자사의 브랜드 이름이 고객에게 신뢰를 주고 좋은 이미지를 줄 거라고 기대하고 있다. 그러나 어떤 브랜드명은 고객에게 구매욕을 일으키지 못하고 또 어떤 브랜드명은 고객들에게 금방 좋은 이미지를 만들어주기도 한다. 이것은 브랜드명이 단순히 듣기만 좋다고 무조건 고객에게 어필하는 것이 아님을 증명하는 것이다.

브랜드명에도 궁합이 있다. 브랜드명과 고객과 기업, 이 관계에서 서로서로 궁합이 잘 맞는다면 브랜드명의 효과는 배가되지만, 그렇지 않다면 기업은 큰 이익을 얻지 못한다. 따라서 브랜드명을 새로 지어야 한다면 전문가의 의견을 참고해서 브랜드명을 짓는 것이 가장 좋다. 그리고 앞에서도 언급했지만 공적으로나 사적으로 개입이든 단체든 대표하는 이름이 필요한 경우에도 전문적인 성명학자의 조언을 따라서 이름을 짓는다면 그 취지가 훨씬 더 빛을 발하게 될 것이다.

브랜드 네임은 특정 상품의 특성이나 특징을 짧지만 강렬하게 표현하고 전달하게 하는 판매의 일차적 단계이다. 소비자는 브랜드 네임만 듣고도 그 상품에 대한 인식과 구매 여부를 결정짓기도 한다. 그러므로 브랜드 네임은 그 이름을 들음으로써 소비자에게 전달하고자 하는 의도를 충분히 담고 반영하고 있어야 한다.

브랜드 네임은 한 번 정해지면 쉽게 바꾸기가 어려우므로 처음에 만들 때에 그 모든 것을 감안해야 한다. 브랜드 네임에 담긴 뜻이 아무리 훌륭하다 하더라도 소비자가 보거나 들었을 때에 그 브랜드가 무엇을 의미하는지, 왜 그런 이름을 지었는지 혹은 이름 자체가 어렵게 느껴진다면 좋은 브랜드 네임이라고 할 수 없다.

가능하면 브랜드 네임은 발음하기도 좋고 듣기도 좋고 시각적으로도 좋아야 한다. 그러면서도 그 브랜드가 상징하고 있는 의미를 담고 있다면 가장 좋다. 그러나 그것만으로도 성공이 보장되는 것은 아니다.

과연 그 브랜드 네임이 오너와의 사주에 맞추었을 때 화합을 이루고 발전시킬 수 있는 작명 궁합의 요건을 갖추었는지를 보아야 한다. 어떤 기업가가 어떤 회사를 설립하면서 회사명을 지었는데 그 자신과 잘 맞지 않는 이름을 지었다면 회사 운영에 있어서 승승장구할 수 없게 될 가능성이 있다. 따라서 브랜드 네임에도 작명 법칙은 있다.

누구나 성공하기를 바랄 것이다. 그러나 시행착오를 많이 겪게 되면 그만큼 손실이 생긴다. 그런 점에서 자신과 잘 맞는 브랜드 네임을 짓는 일은 그만큼의 손실을 미리 피해 가는 거라고 볼 수 있다.

● 브랜드 네이밍의 법칙

생년월일시가 똑같이 태어났더라도 인생의 운명은 천차만별이다. 사주는 51만8천4백 가지의 다른 사주가 있다. 60갑자(甲子)에 12가지 달을 곱하고 거기에다 60가지 일진(日辰)을 곱하고 또다시 12가지 시간을 곱

해서 얻은 숫자이다. 세계에는 하나의 사주마다 거기에 해당하는 사람이 평균 1만 명쯤 된다.

이와 같이 똑같은 사주를 타고나더라도 각자의 운명이 달라지는 것은 사람마다 불러주는 이름이 다르기 때문이다. 이름이 좋으면 사주가 좀 부족하더라도 이것을 보완해 줄 것이고, 이름이 나쁘면 사주가 좀 좋더라도 복을 받는 것이 줄어든다.

그러니까 사주란 조상의 음덕, 본인의 행동과 자각과 노력, 시대 배경을 총괄하여 풀이하고 있다. 자녀를 지도자로 키우고 싶은 소망을 이름에 담고 싶다면 진취적이며 겸손 · 신망 · 인의(仁義) · 중용(中庸) · 통솔력 등의 뜻을 은유적으로 표현해 보는 방법도 좋다. 자녀를 크게 키우고 싶다는 욕심이 과도해서 이름에 뜻이 너무 크거나 강한 글자를 넣는 부모가 있는데 그것은 바람직하지 않다.

이름의 작용력은 언제부터 작용을 하는가 하면 스스로가 자기의 성명을 인식을 할 때부터 작용을 한다고 볼 수 있다. 유년기에는 천한 이름을 불러주어야 건강하게 잘 자란다고 믿는 관습이 오래 전부터 있어 왔다. 그러나 그것이 운명에 아주 미치지는 않으나 그것으로 인해서 운명이 바뀔 정도의 작용력은 별로 없다고 본다.

사람의 바이오리듬은 과학적으로 증명이 되었듯이 사람의 몸이 나오는 순간에 바이오리듬인 운명이 결정을 하는 것이 아니라 이 세상에 나왔다고 인식을 하고 울음을 터뜨릴 때에 비로소 운명이 작용을 하는 것이다. 마찬가지로 이름이 작용을 하는 시기는 인식을 할 때라고 한다면 사람에 따라서 1~2년의 차이는 있을 것이다. 그런데 21세기 현대사회에서 작명이라 함은 단지 개인의 이름만을 뜻하지는 않는다.

요즘 같은 소비구조를 가진 사회에서는 모든 것이 이름으로 구성되어 있다고 할 수 있다. 다 저마다의 이름이 있고 우리는 그 이름을 통해 그 이름이 갖는 상품적 가치를 선택하고 있다. 따라서 현대사회의 모든 비즈니스는 '네임'의 전쟁이다. 상품을 알린다는 것은 곧 네임을 알린다는 것이 된다. 이는 이름으로 상품적 가치와 특성을 나타내는 제품이나 기업을 통해서 연예사업의 주체가 되는 연예인에게도 마찬가지이다. 어떤 연예인은 그 가치만으로도 웬만한 중소기업 이상을 지니고 있으니 일반적인 이름의 범위와는 분명 다르다는 점에서 브랜드 네임의 일종이라고 할 수 있다.

그렇다면 브랜드 네이밍의 기본적인 법칙에는 무엇이 있을까.

1. 부르기 좋고 듣기에 어색함이 없어야 한다.
2. 나쁜 어감도 나쁘지만 좋은 어감이라고 무조건 이름에 넣으면 나쁜 작용을 한다.
3. 읽고 쓰는데 어렵지 않아야 한다.
4. 분명한 의미가 있고 친숙해야 한다.
5. 브랜드를 떠올릴 수 있는 이미지를 담고 있거나 개성이 있어야 한다.
6. 브랜드 네임을 사용할 주체자와 오행의 음양을 맞추어야 한다.
7. 작명법의 수리를 맞추어야 한다.
8. 브랜드 네임 주체자 사주의 오행과 비교를 해서 짓는다.

9. 세계화 시대에 발맞추어 어느 나라 발음으로도 원음이 잘 전달될 수 있는 이름이라면 더욱 좋다.

10. 천하고 가벼운 인상을 주거나 나쁘게 악용될 소지가 있는 이름은 피한다.

11. 유사하거나 혼동될 수 있는 이름은 피해서 작명한다.

12. 브랜드 네임 주체자 사주의 단점을 정확히 분석하여 보완해 주면 격조 높은 좋은 이름이 된다.

13. 업종이나 해당하는 분야의 특성을 잘 반영하는 이름이어야 한다.

14. 소비자 혹은 고객이 거부감이 들지 않는 이름이어야 한다.

15. 시대의 흐름을 반영하는 이름이어야 한다.

16. 각인시키기 위하여 자극적인 이름으로 짓다가는 오히려 브랜드 수명이 단명할 수 있다.

❀ 연예인의 개명과 예명

연예계에는 이름에 관한 재미있는 에피소드들이 많다. 그 중에서도 김홍국이 가수 조PD를 두고 한 이야기는 지금도 인터넷 네티즌 사이에서 우스개로 소개되고 있다. 조PD란 이름이 연예인으로서의 예명이라는 걸 모르던 김홍국은 조PD로부터 "안녕하세요, 조PD입니다" 하고 인사를 받자 음악 방송 PD라고 생각한 나머지 "아 그러세요? 제 노래 좀 많이 틀어 주세요" 했다고 한다. 사람들은 물론 김흥국의 엉뚱함과 무지함에 박장대소를 했지만 김흥국으로서는 충분히 오해할 만한 소지가 있는 이름이었다.

연예계에는 이런저런 이유로 자신의 본명을 두고 예명을 가지고 사용하는 이들이 많다. 전지현(왕지현), 에릭(문정혁), 비(정지훈), 박솔미(박혜정), 송승헌(송승복), 최지우(최미향), 강타(안칠현) 등등 헤아릴 수 없을 정도이다.

이렇게 다른 이름을 쓰는 데에는 가장 많게는 본명이 연예인으로 활동하면서 쓰기에 적합하지 않아서이다. 연예인은 자신만이 가진 고유의 이미지나 혹은 그렇게 보이고 싶은 이미지와 콘셉트가 있다. 그런데 어떤 이름은 그것을 방해하기 때문에 그에 걸맞은 작명을 하게 된다.

패션 디자이너계의 거목으로 앙드레 김이 있다. 그는 국내에서뿐만 아니라 외국에서도 많은 활동을 하고 실력을 인정받는 세계적인 디자이너이다. 그는 디자이너로 활동하기 시작하면서 앙드레 김이라는 예명을 가졌다. 지금은 그 이름이 대중화되어서 그의 본명으로 그를 부르는 사람은 없다. 그리고 앙드레 김이라는 이름은 무엇보다도 그의 활동 영역과 인지도로 보았을 때 잘 맞는 이름이다.

하지만 그가 예명을 쓰지 않고 본명인 '김봉남'을 그대로 썼더라면 또 어땠을까. 본명은 다소 촌스럽고 가벼운 인상을 준다. 따라서 앙드레 김이 아무리 아름답고 멋있는 드레스를 만들었다 하더라도 김봉남이라는 이름을 붙인다면 훨씬 반감되었을 것이다. 그런데 앙드레 김이란 이름은 글로벌 시대에 잘 맞으면서도 훌륭한 이름이 될 수 있었다.

연예인 예명은 그뿐만이 아니다. 본인과 그 이름이 연예인으로 활동하려는 데에 나쁜 영향을 줄 소지가 있다면 아무리 노력한다 해도 크게 성공할 수 없게 된다. 그래서 자신의 열망과 목표를 더 상승시켜 줄 좋은 이름으로 처음부터 바꾸어 활동하기도 한다. 한 명의 스타가 일 회 출연료로 수천만 원 이상을 받는 시대인 만큼 연예인 이름은 이제 하나의 브랜드 네임과 같기 때문이다.

회사의 존재 이유는 이윤을 남기는 것에 있다. 경영자는 도덕적이고 과학적이고 논리적인 것도 좋지만 그 이전에 실익을 먼저 따진다. 즉 경영자는 술이나 담배도 이윤이 남으면 사업을 할 것이며, 방송국은 불륜을 조장하는 드라마라도 인기가 있으면 방영을 할 것이다.

정부에 국가브랜드위원회가 있다면 회사에는 브랜드를 담당하는 부서가 있다. 요즘 경영인은 건축학과에서 연구하는 풍수 인테리어(풍수)나 얼굴 경영(관상)을 미신 운운하지 않고 인정하는 추세에 있다. 그래서 경영 자문이나 면접관으로도 위촉한다.

풍수 인테리어와 같이 브랜드 네이밍 역시 운전기사에 불과해 참조만 해야 할 사주 용신에 집착하다 보면 경영인과는 함께 할 수 없다. 예를 들면 1990년대 이전까지만 해도 풍수 인테리어를 할 때는 꼭 사주의 희용신에 맞추지 않으면 효과 없다고 주장하던 풍수인들이 많았는데 그래서 그 당시에는 경영인과 함께 할 수 없었다.

요즘도 어설픈 관상가나 풍수가는 풍수 인테리어를 보고 길흉을 논하기 전에 먼저 그 사람의 사주부터 원한다. 그것은 이름풀이와 작명에 자신이 없는 사람도 동일하다. 그러나 그렇지 않다. 확실한 이론과 실력을 가진 풍수 인테리어나 관상가나 작명가는 그 사람의 집이나 얼굴 혹은 이름만 가지고 모든 운세를 논할 뿐이다.

물론 정식으로 집안의 소품을 배치할 때나 관상의 성형이나 작명할 그 때 비로소 참조는 필요할 것이다. 집의 구조를 보고 이론이 달라 분분하다면 기업체같이 사주를 가르쳐주지 말고 건물이나 집만 보여주고 감정을 평가해 보면 분명하게 알 수 있다. 그러면 실력의 희비는 나타날 것이다.

다시 정리해서 말한다면 풍수 인테리어가 전공인 사람은 그 집의 가구나 책장만 보고도 주인공의 인생을 읽을 수 있다. 물론 나쁜 운을 가진 사람에게 소품의 재배치를 통해 좋은 운으로 나아가게 개선해 주기도 한다. 브랜드 역시 이와 같아서 이름 석 자만으로도 인생을 읽고 나아갈 길을 알려 주는데, 흉한 이름은 개명을 통해 더 좋은 길로 안내해 줄 수 있다.

브랜드 작명에 확실한 이론을 가지고 있으면 무슨 고민을 가지고 올 사람인지 한 해 운세는 어떻게 전개되며 언제 취업이 될지는 어느 정도 알 수 있다. 인간과 달리 자유의지가 없는 제품이나 상품명의 작명은 효과가 더하면 더하지 덜하지는 않다. 그 사람이 살고 있는 동네 역시 넓게는 브랜드에 속한다. 살고자 하는 동네를 옮겨주어 그 사람의 운을 달리해줄 수도 있다. 그래서 옳은 작명가는 브랜드와 지역의 운세를 함께 움직여줄 수 있어야 하겠다.

요즘과 같은 연예사업이 발달한 시대에서는 연예인의 이름 또한 하나의 브랜드와 같다. 따라서 연예인 이름을 작명할 때에는 개인의 작명과는 같을 수 없다. 당사자 사주는 물론이고 그가 하려는 분야의 현실적 상황과 흐름과 트렌드, 비전, 국외 진출, 대중에 대한 반영 등등을 고려하여 이름을 지어야 한다. 그리고 예명을 짓는다 하더라도 본명은 그대로 두고 예명으로 활동을 할 것인지, 혹은 본명 자체를 예명으로 개명할 것인지의 여부도 중요하다.

지금은 하리수란 이름이 익숙하지만 처음에는 하리수란 이름은 그녀가 지니고 있는 사회적 편견 때문에 하나의 상징적 이름처럼 불리기도 했었다. 하리수의 본명은 이경엽이다. 그러나 성전환자로서 연예활동을 하기 위해선 그 이름은 한계가 있었다.

성전환을 해서 여자가 된 하리수는 누구보다도 자신의 여성성을 강조할 필요가 있었다. 그런 점에서 지극히 여성스럽고 연약한 이미지까지 풍기는 하리수란 이름은 그에 걸맞은 이름이었다. 결국 하리수는 어느덧 대중들에게 남자가 아닌 여자 연예인으로서 인정받고 스타가 될 수 있었다.

하리수의 본명과 변경한 예명을 가지고 풀어보면 다음과 같다.

사례) 하리수(이경엽)

그녀가 하리수란 이름을 사용하기 전에 철학관이나 작명소에 감명을 해보았더니 형편없는 해석이 나왔다고 한다. 역술인이 가장 먼저 보는 것이 오행(五行)이나 수리가 잘 맞추어졌는가를 보고 그 다음은 측자나

파자, 흉자를 보고 그 다음은 사주의 부족한 오행이나 괘상 등으로 옮겨간다.

오행은 기본 되며 뼈대가 되는데 하리수는 土火水가 되어 물이 불을 끄는 형상이다. 꺼진 불이 불의 역할을 할 수 없을 것이다. 오행이나 수리가 틀리니 첫 걸음부터 문제가 되니 더 이상 다른 이론까지 논의해 볼 필요도 없었을 것이다.

그런데 한때 왕성한 활동을 하던 하리수는 최근에 휴식기를 가지고 있다. 왜 그럴까? 하리수는 항상 이슈를 띄워야만 하는 이름이다. 출연한 광고나 영화, 가수 활동 심지어 결혼에까지 이슈가 되어 인기를 얻은 스타이다. 그러나 요즘은 더 이상 이슈가 만들어지지 않는다. 그렇다고 남들처럼 평범하게 살면서 스타로 인정받는 건 어렵다. 그 자체가 평범한 스타는 아니기 때문이다.

이름으로 풀어볼 때 2011~2013년이 성패가 갈리는 운이 될 것으로 본다. 단순히 작명소에서 개명한 호적상의 또 다른 이름인 '이경은'으로는 새 출발이 어렵다.

역술 이론으로 '하리수'를 풀이해 보자.

먼저 본명 이경엽은 간단히 봐도 0글자인 土의 성분이 많이 들어갔음을 알 수 있다. 오행이 고루 분포되지 못하고 한쪽으로 치우친 것이다. 그러면 0에 해당하는 土의 성분밖에 없는 것인데 이렇게 한 쪽이 비대하게 강해지면 반대되는 글은 부실해져서 타격을 받을 수밖에 없다. 그럼 무엇이 문제가 될까? 우선 본명을 보자.

이	경	엽
土	木土	土水

성인 '이'는 '경'자의 목에 극을 받고 경의 받침은 주 오행인 윗글에 극을 받는다. 그리고 본인에 해당하는 목은 부모궁과 부부궁, 형제궁 자식궁을 극한다. 즉 '경'은 자신과 부모궁과 자손궁을 모두 극한다. 자손궁인 주오행 토는 받침인 부오행 수를 친다. 그런 즉 부모형제, 부부궁은 없는 것이며 자손도 없는 것이다. 그런즉 삶이 남자의 역은 하지 못하든지 속세 인연이 없다. 그런 즉 다른 인생을 살 수밖에 없다.

이름풀이는 성명풀이로 보는 것이지만 그 사람의 이름으로 보는 한 해 운세는 살고 있는 동네를 봐야 한다.

이름은 본인의 심성이나 행동을 주관하나 풍수는 주위에서 일어나는 환경을 주관한다. 이름과 풍수 인테리어는 사주와 달리 후천적인 운으로 보는 것으로 둘의 음양의 조화가 이루어져야 옳게 개운이 되는 법이다. 동일한 장소라도 이름과 풍수 인테리어가 상충을 하면 누구는 그 장소에서 복을 받는데 누구는 화를 입게도 된다. 그런 즉 그 터에 사는 사람마다 돈을 벌지만 누구는 그 터에 살면서 망해 나오는 것이다.

이름을 양으로 본다는 양택 풍수도 포함해서 음으로 보게 된다. 음을 보좌하는 것이 방위이므로 삼위일체는 함께 동해야 효과가 있다. 하지만 같은 풍수인 음택은 지명과는 큰 연관이 없다.

다음은 예명인 '하리수'를 풀어 보자.

하	리	수
풍지관(風地觀)	풍산점(風山漸)	화뢰서합(火雷噬嗑)

풍지관은 큰 바람이 불어 기존의 것을 무너뜨리는 변화를 말하는 괘인데 춘풍에 해당하는 것으로 두 번째 변화는 인묘년인 풍산점은 "여귀길이정(女歸吉利貞)"이라 여성 연예인으로 삶이 길하다는 것이며, 육오는 황금을 얻는 격이니 인기를 불러 오게 되었다. 화뢰서합은 "서합형이용옥(噬嗑亨利用獄)"이라 불과 우레의 괘며 음식이 입에 가득한 상으로 처음은 어려우나 후에는 길하다는 것이다. 한편 분쟁이나 소송을 말하는 것으로 스캔들이나 소송이 잘 일어날 것을 말하니 특히 이 점에 주의해야 한다.

연예 분야에서 연예인의 이름이나 예명만 중요한 것은 아니다. 흔히 엔터테인먼트 사업을 하는 기획사들도 자신들의 활동을 대표하는 이름을 가지고 있다. 그런데 어떤 기획사는 이름만 듣고는 도무지 무엇을 하는 곳인지도 모를 뿐더러 하는 분야와도 동떨어진 이름을 갖고 있다. 그리고 어떤 기획사는 이름만 듣고도 친근감이 들고 믿음이 가는 곳이 있다.

어차피 일만 잘하면 되지 이름이 무슨 상관이냐고 생각할지 모르지만 그렇지 않다. 기획사 명칭은 곧 그 기획사가 거느리고 있는 연예인들을 대표하고 상징하는 곳이다. 따라서 쉽고 친근감 있게 대중한테 어필할 수 있는 이름을 갖고 있다는 것은 그만큼 비용이 절감된다는 것이다.

또한 연예사업을 하는 곳의 명칭은 그 사업주와의 궁합과 그 기획사에 속한 연예인들과의 궁합 여부로 인해 흥하기도 하고 망하기도 할 수 있다. 그러므로 연예 분야에 있어서의 이름이란 매우 광범위하고 까다로운 만큼 특히 전문적인 조언과 정확한 판단 하에 작명하는 것이 좋다.

❀ 상호 작명

하루에도 수많은 점포가 새롭게 문을 여는가 하면 또 그만큼의 기존의 점포가 문을 닫는 게 현실이다. 그 이야기는 결국 수많은 창업과 수많은 폐업이 반복되고 있다는 것이다. 최근 수년 간 경제가 악화되면서 문을 닫는 사업자와 점포는 엄청나게 늘어나고 있다.

새로운 사업이나 가게를 하면서 나쁘게 될지 모른다는 걸 먼저 생각하는 이는 없을 것이다. 그러나 성공하는 이는 극소수일 뿐이다. 모든 여건이 다 좋다고 할 때에도 성공할 확률이 적은데 하물며 이런저런 복병이 언제 들이닥칠지 모르는 상황에서야 더욱 그렇다.

새로운 사업을 하든 가게를 열든 대표할 이름은 반드시 필요하다. 아무리 작은 구멍가게라도 사업자등록을 하지 않으면 안 된다. 작은 공인중개업 점포를 열든 치킨집을 열든 하고자 하는 일을 대표할 이름이 필요한 것이다. 그것을 상호 작명이라고 한다.

수년 전부터 유머러스하거나 패러디한 상호들이 인기를 끌고 있다. 그만큼 시대가 유머를 선호하고 있기 때문이다. 어떤 업종을 선택했느냐에 따라서 가벼움과 유머를 배제한 신뢰 있는 상호가 필요하고, 또 어떤 업종에서는 진지한 상호보다는 유쾌하면서 친근감이 느껴지는 상호 명이 필요하다. 청소년층이 주고객인 PC방을 열면서 장년층이 좋아할 만한 상호로 짓는다면 그 옆에 재기발랄한 상호를 가진 타 PC방이 훨씬 더 잘 될 것이다.

언젠가 114생활정보기업인 '코이드'가 114 상담원 500명을 대상으로 가장 웃긴 상호명을 조사한 결과, '미쳐버린 파닭(치킨가게)'이 123표를 얻어 1위를 차지하고, '태풍은 불어도 철가방은 간다(중국음식점 95표)', '까끌래 뽀끌래(미용실 54표)', '난닝구 에어컨', 호프집 '오늘은 쏜다' 등 이 선정되었다고 한다.

상호가 이렇게 변하고 있다는 이야기는 결국 사람들이 이런 상호에 열 광하고 있다는 말도 된다. 그렇다고 해서 무조건 유머러스하고 웃긴 상 호가 다 잘 된다는 말은 아니다. 상호는 무엇보다도 하려는 업종과 주 소 비층의 정서와 사업주의 사주(四柱)와 환경 등을 고려해서 만들어져야 한다. 그러면서도 시대의 트렌드를 방영하면 가장 좋다.

상호는 회사를 가장 먼저 떠올리는 수단이자 그 회사의 이미지를 함축 적으로 나타내는 수단이다. 회사 상호를 어떻게 지었느냐에 따라 그 회 사의 이미지와 특성이 상대방에게 전달되고 그 결과는 곧 성패로 이어 진다. 따라서 상호는 사업을 하면서 무엇보다도 중요하게 따져야 한다.

가끔은 점포나 가게를 인수하면서 생각 없이 앞에서 쓰던 사람의 것을 그대로 받아 사용하기도 하는데 이는 바람직하지 않다. 왜냐하면 앞에 서 그 이름을 사용하던 주인과 새로 주인이 되는 사람은 분명 사주와 환 경이 다르기 때문이다. 상호명과 그 주인과의 궁합 여부도 분명 중요하다. 기왕이면 그 상호명과 그 주인의 작명 궁합을 맞춘 이름으로 정해 사용하는 것이 그 사업을 더욱 빛나게 할 것이다.

상호명을 그 주인의 사주와 전체적인 사업의 운기와 조화 관계를 따지지 않고 무책임하게 지어 부르는 것은 그만큼의 시행착오의 가능성을 불러일으킬 수 있다. 사업에는 여러 가지의 변수가 작용한다. 그 중에는 상호가 갖는 어감과 선호도도 중요한 영향을 미친다.

어떤 식당은 들어가 보지 않고 이름만 보고도 호감이 가는 식당이 있는가 하면 어떤 이름은 그냥 발을 돌리게 하기도 한다. 그리고 또 어떤 상호명은 그 일에 관한 한 어쩐지 전문성과 신뢰가 느껴져 다른 상호명과 차별화가 되기도 한다.

브랜드 네이밍의 전문가들은 많은 성공한 사업 뒤에는 좋은 이름이 있었다고 지적한다. 여기에서 좋은 이름이란 단순히 좋은 뜻을 가졌다는 것만 의미하는 게 아니다. 상호의 이미지가 그 일의 특성을 잘 담고 있으며, 사업주의 사주에 맞고 또한 부르기 쉽고 기억하기에 좋은 이름이면서 소비자의 구매동기에 긍정적인 영향을 줄 수 있어야 한다.

또한 좋은 상호란 사업주가 그 상호로 일을 할 때에 그 여건과 환경에까지 긍정적인 영향을 줄 수 있는 것을 말한다. 사업주의 사주 관계가 맞지 않는 상호명을 가졌을 때에는 심하면 고용하는 종업원들에게까지 문제를 야기할 수 있다. 종업원이 문제를 일으킨다거나 손님과 불화를 일으킨다거나 아니면 상호명에 대한 반감으로 인해 사업 자체가 부진해질 수 있다.

따라서 상호명을 지을 때에는 하고자 하는 일에 대한 특성과 그것을 구매하는 이들의 선호도와 경쟁업체 간의 우월성이나 사업주의 사주, 트렌드 방향, 세계적인 흐름을 보아 작명하는 것이 좋다. 다들 경제가 어렵다고 하고 사업은 특히 더욱 성공하기가 어렵다고 한다. 이런 때일수록 상호명 하나에도 만전을 기울여 시행착오를 죽이는 것이 현명한 사업 자세라고 하겠다.

❀ 기업 네임, 제품 네임

2000년 한 해에 회사명을 변경한 상장·등록 기업은 전체 등록 법인의 5%에 달했다. 2001년엔 693개 주식거래소 상장법인 중 36개 기업이 상호를 교체했고 코스닥 시장의 648개 등록법인 중 27개 기업이 사명을 바꿨다.

'사람과 기술'이란 회사는 '모바일 원 커뮤니케이션'으로 바꾸었는데 그 이유는 국제화와 정보화 사업에 발맞추기 위한 영어식 기업명을 사용하기 위해서였다. 국제시장에 나갔을 때 '사람과 기술'이란 기업 이름은 아무래도 어렵고 또한 그들이 내세우는 정보 산업의 특성을 효과적으로 반영하지 못한다고 생각했기 때문이다.

이와 같이 필요하면 변경도 불사할 정도로 기업의 이름은 매우 중요하다. 상호명은 그 사업주 1인이나 그 소수의 주변과 관련된 영향을 미치지만 기업의 이름은 그 기업 전체의 사활이 걸려 있다. 규모가 큰 기업이라면 그 영향력은 더욱 크다. 기업이 성공하면 성공할수록 브랜드 파

워의 힘은 커진다.

소비자가 어떤 물건을 구매하기 이전에 어떤 회사가 만든 것인지를 먼저 확인하는 것은 그 회사에 대한 브랜드 인지도 때문이다.

사람들은 비슷한 조건과 비슷한 성격의 제품이라면 기왕이면 자기가 알고 있는 대기업 제품을 고르려는 속성을 가지고 있다. 그것은 어차피 처음 선택하는 입장에서 잘 알려진 기업의 것을 고르면 믿을 수 있다는 선입견이 작용해서이다. 따라서 기업에 있어서 성공 여부란 곧 브랜드 네임의 성공을 의미한다.

성공한 기업치고 브랜드 네임이 알려지지 않은 기업이란 없다. 따라서 기업에서는 브랜드명을 지을 때 당장의 조건만 따질 것이 아니라 먼 미래의 비전과 목표까지도 감안하여 작명해야 한다. 기업체의 규모가 클수록 이름을 바꾸는 것은 쉽지 않다. 사람들 머리에 인식된 그 기업의 브랜드명을 다른 것으로 대체시키려면 많은 시간과 노력이 필요하다. 그러니까 처음부터 변경을 전제하지 않은 기업명을 만들어야 한다.

국민은행의 경우엔 장기신용은행과 합병한 후에도 여전히 '국민은행'이란 이름을 고수함으로써 국민은행에 대한 브랜드 효과와 자사 가치가 더 상승되었다. 만약에 국민은행이 타 은행과의 합병 이후 새롭게 다른 이름으로 변경했다면 그 이름을 알리기 위해 많은 돈과 에너지가 소비되었을 것이다. 그러고도 지금의 국민은행이 갖고 있는 인지도를 갖지 못했을지 모른다.

따라서 브랜드 네이밍은 무조건 변경만이 좋은 것은 아니다. 기존의 이미지가 좋다면 그것을 부각시키고 각인시킬 수 있는 전략이 함께 따라야 한다.

요즘의 기업 이름들은 순 한글식과 영어식, 이도저도 아닌 혼합식이 나타나고 있다. 그리고 영어식 표기에서 이니셜만 압축하여 만든 브랜드 명도 있다.

SK는 국내 대기업이었던 선경의 'Sunkyoung'에서 이니셜을 딴 것이다. 이런 경우 원래의 기업명을 유지하면서도 영어식 이름으로 가기 위해 변경을 하면서도 원래의 그 이미지를 유지할 수 있었지만 지나치게 영어 이니셜 압축식 이름을 남용하는 것은 반감을 줄 수 있다.

상품명, 제품명을 만들 때에도 마찬가지이다. 상품을 멋있게 포장하기 위한 훌륭한 이름도 좋지만 의도가 지나쳐서 소비자가 선뜻 구매할 수 없도록 부담을 주는 이름이 된다면 역효과가 된다.

상품명은 사람들에게 기억되기 쉽도록 단순 · 간단 · 명료하고, 읽기 쉬우며 발음하기 쉬워야 한다. 그리고 다른 유사한 상품과 혼동되지 않는 개성 있는 이름이 좋다. 고급스럽고 멋있게 보이기 위하여 긴 영어식 이름을 지었다간 소비자가 물건 이름을 제대로 외울 수도 없고 구매 욕구도 반감된다.

그리고 무엇보다도 그 제품이 갖고 있는 특성을 잘 살린 상품명이라면 소비자에게 금방 어필되고 구매동기를 불러일으킨다. 이를테면 'e-편한 세상'이라는 아파트 이름을 들으면서 왠지 저 아파트에서 살면 편하고 안락할 것 같은 느낌을 전달받듯이 말이다.

사례) 국민 드링크가 된 '박카스'

성공한 제품명으로는 대표적으로 드링크제 '박카스'가 있다. 동아제약의 '박카스 D'는 국민 드링크라는 애칭을 들을 만큼 40여 년 동안 많은 인기를 끌어왔다. 박카스를 개발한 강신호 동아제약 회장은 1960년대에 국민들이 술과 과로에 시달리는 것에 착안해 간기능 강화 효과가 있는 타우린 성분에 비타민 등을 섞어 당시 유행하던 다른 드링크제와 차별화를 둔 박카스를 만들어냈다.

그런데 문제는 이 음료의 이름을 무엇으로 할 것인가였다. 그러다가 간 보호 효과를 강조하기 위해 독일 함부르크 시청 앞의 박카스 상에서 영감을 얻어 '술로부터 간장을 보호한다'는 의미로 그리스신화의 술과 추수의 신인 '박카스'란 이름을 생각해 냈던 것이다.

박카스가 주는 상징성과 신화적 상상력에서 오는 호감은 박카스에 대한 구매로 이어졌다. 지금까지 팔린 박카스는 2008년까지 약 163억 병이었다. 지금도 박카스 생산라인에서는 1분당 2,400개의 박카스가 생산되며 이 속도는 보통 기관총 발사 속도의 4배에 달할 정도이다. 박카스의 성공 덕분에 동아제약은 제약업계에서 1위를 고수하고 있으니 제품명이 한 기업에 있어서 얼마나 중요한지 알 수 있다.

회사 이름이 아무려면 어떻고 상품명이야 무슨 상관이냐 일만 잘하면 되고 물건만 좋으면 되지 하는 생각으로 회사를 경영하는 것처럼 위험하고 안일한 것은 없다. 기업명은 그 회사의 얼굴이자 상징이며 제품명은 소비자의 지갑을 열게 하는 열쇠이다. 그러니 회사의 성공과 발전을 위해서라도 더 전문적이고 확실한 작명을 하는 것이 성공의 지름길이다.

▌사례) '힐스테이트' 아파트가 상징하는 것

'hillstate 아파트'의 이름은 원래 홈타운이었다. 그러다가 힐스테이트로 변경하였고 현재 인기 있는 아파트 명이 되었다. 힐스는 미국의 초호화주택이 있는 비버리 힐스에서 따온 단어로 높은 곳에 있는 가장 좋은 장소를 말하며, 스테이트는 높은 권위나 품위를 뜻하므로 이곳에 오는 사람들은 돈과 명예를 가진 품격 있는 사람들만 모였다는 것을 암시한다. 특별한 사람만 모인 곳인데 당신만을 특별히 모신다는 의미로 사용하였다.

광고하고자 하는 대상과 목표가 있다면 그것에 함축된 단어로 브랜드 명을 만들어야 한다. 브랜드 광고 역시 함축된 브랜드 위주로 일괄되게 광고하는 것이 성공요인이다. 만약 브랜드 명이 좋아도 로고에 문제가 있다면 그 상품은 수명이 짧아 오래 유지하기 어렵다. 브랜드가 집이라면 로고는 대문이기 때문이다. 대문이 너무 크든지 빈약해 집과 어울리지 않으면 없는 것만 못하다. 즉 집에 비해 대문이 너무 크든지 멋있다면 재난을 불러들인다. 반면 집은 크고 멋있는데 대문이 허술하든지 빈약하면 도둑도 들고 해서 재물을 간직하기 어려운 것과 같다.

그리고 로고와 브랜드 CI가 구별되지 않으면 좋지 않은데 이것은 대문이 없는 담과 같기 때문이다. 글은 뜻을 전달하며 표출하는 것인데 글을 로고같이 사용한다면 함축성이 떨어져 시작과 달리 실익이 적어 수명이 짧게 된다. 브랜드인 집이 좋으면 전원주택과 같이 담과 대문이 없어도 멋있는 것과 같다.

글을 로고같이 사용하는 것이 왜 나쁜가 하면 글을 웅장하게 하거나 아름답게 하려고 기교를 부리게 되는데 이 역시 좋지 않기 때문이다. 로고는 있는데 적어서 보이지 않는다면 글이 로고같이 보여 이 역시 좋지 않다. 로고는 브랜드의 산만한 기운을 모을 수도 흩어지게 할 수도 있다. 잘못된 로고는 차라리 하지 않는 것만 못하다. 음과 양의 조화인데 브랜드와 어울리는 함축된 로고라야 한다.

힐스테이트란 이름을 풀어 보면 다음과 같다.

hillstste		
주청	현백	사구
탐랑	천요	태음
수지비	천택리	수뢰둔

물질을 관장하는 탐랑(貪狼)에 주작(朱雀)과 청룡(靑龍)이 임하니 내세우는 권위와 품위가 있는 학자나 정치인보다는 사업가와 인연이 있는 아파트가 될 것이다. 천요(天姚)는 새로운 것을 향해 나아가는 힘이며 인기인데, 태음은 함축된 금과 수의 에너지를 말하므로 웅장함보다 섬세함으로 여성에게 어필하는 광고가 더 좋다는 뜻이 된다.

천택리(天澤履)는 범의 꼬리를 밟는 격이라 위태함을 경험하나 나쁘지 않으니 조심스럽게 계획하여 꾸준히 광고하게 된다는 것이다. 수뢰둔(水雷屯)은 따르지 않던 무리가 따르는 격으로 처음은 힘들게 시작함을 말한다. 이것은 늦은 인기를 말하는데 불경기가 오래 됨이 걸림돌이 될 수도 있겠다.

  품위와 웅장함을 내세운 광고는 실익이 적으니, 감성적이고 여성적으로 광고함이 더 좋다고 본다. 아파트 단지 내에서 해결할 수 있는 모임 장소를 조성하는 것이 좋고, 시골 같은 아늑한 녹색 환경도 만들어 감성적이고 실용적인 면을 강조하는 것도 좋겠다.

PART 5

이우산

육임으로 보는
사업 궁합

고려육임학회 학회장. 한국기공연합 사범. 현 동국대학교 사회교육원 교수. 현 서라벌
대학교 교수.
저서 『육임 입문 1 · 2 · 3』 『육임책력』 『육임실천』 등
홈페이지 http://www.taotemple.co.kr
카페 http://cafe.naver.com/taotemple
전화 : 02-816-2115, 010-7321-5539

❀육임과 적중률

한 치 앞도 알 수 없는 인간의 미래를 알기 위한 방법의 하나로 동양에서는 수 종의 역학이 탄생하여 활용되고 있다. 이 중에서도 특히 태을과 기문과 육임의 '기을임삼식(奇乙壬三式)'은 5,000년의 장구한 역사에 걸맞는 고도의 길흉 적중률을 자랑한다. 이 학문은 고대에는 물론, 현대에도 인사(人事)에서 가장 귀중하게 여겨지는 음양학이요, 술수학으로 널리 알려져 있다.

여러 문헌에 의하면 배달국 시대에 자오지 천황, 일명 치우천황 대의 대석학인 자부선인의 학통을 이어받은 헌원에 의하여 기문과 태을과 육임의 삼식이 나왔다고 전하고 있다. 이 중에서도 일상의 용사(用事)에는 육임이 주로 활용되었다고 전해진다. 삼식은 고대 천문학과 밀접한 연관이 있으며, 금나라 시대에는 국가의 천체관측기구인 사천대(司天臺)의 시험 과목이기도 하였다. 아울러 당나라 시대에는 육임학이 사대부들 간에 크게 유행하였고, 특히 송나라 인종은 육임을 크게 활용하였다고 사서는 전하고 있다.

우리나라에서의 육임에 관련된 학술자료로는 왕실도서관에 속하였던 서울대 규장각에 『육임과경(六壬課經)』과 『육임단경(六壬斷經)』이라는 서책이 전해지고 있는데 이는 영조 17년 9월 5일에 『육임과경』과 『육임단경』을 간행하라는 영조의 명에 의하여 편찬되었다. 또한 한국정신문화연구원에는 조선 중기의 행정가이면서 수리와 복서, 천문과 지리, 음양학과 술수 등에 달통한 토정 이지함 선생의 육임 서책인 『입수법』이 전해지고 있다.

조선시대의 평민이 관직을 득하는 사로(仕路)의 하나로 역과(譯科)와 의과(醫科), 음양과와 율과(律科)의 잡과가 있었다. 조선 초기인 세종대에 잡과 내의 음양과의 관리를 선발하는 과목으로 육임이 채택된 이후로 조선 후기의 정조 대에 이르기까지 관리를 뽑는 주요 과목이었고, 또한 국가와 인간의 용사(用事)에 크게 활용되었다는 기록이 보인다.

이와 같이 조선시대의 육임은 국가에서 인정하는 국학의 하나였고, 국가 관청에서 시행하는 시험 과목에 바로 육임이 있었다. 생각하건대 역학의 생명은 인사에서의 실용(實用)에 있다고 생각된다. 이 중에서도 특히 육임은 5,000년이라는 장구한 세월 동안 체계적으로 연구, 활용되면서 이론이 논리정연할 뿐만 아니라 그 활용의 측면에서도 정확성이 매우 뛰어난 학문이다.

이 '기을임 3수'야말로 동양 역학의 정수이며 참으로 신비한 학문이라 할 수 있다. 천문을 아는 데에는 태을이 최고이고 지리를 아는 데에는 기문이 최고이지만, 사람에 관련된 인사(人事)를 아는 데에는 육임(六壬)을 최고로 꼽았다.

삼식은 상(上)으로는 천문에 통하고, 하(下)로는 지리에 통하며, 중(中)으로는 인사에 통한다고 하여 기을임 3수에 통달하면 지상신선이 된다고까지 극평하였다. 이 중에서도 특히 인간과 관련된 일에 대해서는 육임이 최고인데, 이 학문을 정통으로 수학하면 사람을 통솔하는 정재계 지도자에게는 제갈공명과 같은 지혜를 안겨주고, 생사의 기로에 있는 이에게는 핵심을 찌르는 피흉추길을 일러주며, 일상의 삶에 있어서는 사회생활에서의 처세에 통달할 수 있도록 해준다.

앞선 시대에 살았던 육임의 명인들을 살펴보면 강태공이 주나라 문왕인 희창을 보좌하였고, 오자서가 오왕 부차를 보좌하였으며, 장량이 한나라 고조인 유방을 보좌하였고, 제갈공명이 촉한의 유비를 보좌하였다. 이어서 이정이 당나라 태조 이세민을 보좌하였듯이 역사상 국사(國師)가 삼식을 활용하여 국가창업 내지는 국가발전에 큰 기여를 한 예가 실로 많다.

육임학과 명리학과의 차이점이 있다면 일반 명리학이 요람에서 무덤까지의 인생을 조망하는 망원경에 비유된다면, 육임학은 한 가지 사안에 대하여 마치 현미경으로 들여다보듯 세밀하게 분석하고 검산하여 길흉을 판단한다.

육임의 학문상의 특징은 간지(干支), 태세(太歲), 월장(月將), 점시(占時), 지반(地盤), 천반(天盤), 4과(四課), 3전(三傳), 천장(天將), 연명(年命) 등의 요소로 음양오행의 생극제화와 천문학의 이론을 보태어 구성된다.

무엇보다도 육임학은 묻는 즉석에서 즉문즉답할 수 있는 학문으로 음양오행학의 꽃이요, 열매로 비유할 수 있다. 명리학의 정단 원리가 사람이 태어나는 순간의 음양오행의 기운에 의하여 사람의 생사와 부귀빈천이 정해진다는 전제의 학문이라면, 육임의 정단 원리는 어떤 사업이나 사건이 발생한 순간 또는 어떤 궁금증을 물어 답을 구하는 순간의 음양오행의 기운으로 그 일의 전개과정을 알 수 있다.

가령 2008년 7월18일 정오인 12시에 창업을 했다면 이 시간에 창업한 회사의 성패의 여부를 예측할 수 있고, 만약 2008년 7월20일 오전 10시에 창업을 하려는 회사의 운명을 알고자 한다면 그 여부 또한 정확하게 뽑아낼 수 있다는 것이다.

특히 경이로운 사실은 누군가가 건축 사업에 대하여 묻는다면 육임에서 사용하는 인생운명도인 '과전도'에 그에 관련된 정보가 고스란히 음양오행이라는 기호로 적혀 있다는 것이다. 따라서 육임학을 공부한 전문가라면 그 비밀 정보를 읽고 해석하여 사업에 대하여 물었던 사람에게 음양오행 기호를 평범한 일상적인 용어로 들려주고 조언하여 사업에 대한 성패 여부에 대하여 예측해줄 수 있다는 것이다.

이와 같은 점에서 육임학은 합리적이고 정확한 학문으로서 타 역학의 추종을 허용하지 않는다.

❀ 육임으로 본 사업 궁합

최근에 세계경제가 악화되어 국내 경기 또한 대부분의 경제지표가 부정적인 수치를 보이고 있다. 문을 닫는 사업장과 실업의 수가 점점 늘어난다는 것은 어제오늘의 일이 아니다.

심지어 2009년에는 실업자 수가 1999년 이후 10년 만에 다시 100만 명을 넘어설 수 있다는 전망까지 나오고 있다. 최근의 극심한 경기침체는 청년층, 영세자영업자, 중소기업 근로자 및 비정규직에게 영향을 미쳐 실업인구를 양산시킬 것으로 보인다.

다니던 회사에서 월급 인상을 요구하기보단 혹여 감축대상이 되지는 않을까 고용주의 눈치를 보는 게 당연시되었는가 하면, 서울 한 자치구의 환경미화원 모집에 물리학 박사 학위 소지자가 응시원서를 내는 일도 있었다. 환경미화원 5명 모집에 대졸 이상의 학력자가 11명이나 되었다니 취업난의 현실을 그대로 보여준 것이다.

그러다 보니 자기 일을 하려는 사람들이 늘어나고 있다. 새로운 회사를 만들거나 자기 가게를 내서 돌파구를 찾아보자는 생각 때문이다. 우리나라는 창업인구가 세계 2위를 차지할 만큼 창업에 대한 관심이 크다. 그러나 연간 자영업자 250만 명 중에 40만~50만 명이 폐업을 할 정도로 창업 후 결과가 그리 낙관적이지 않다.

사업을 하고 있는 사람이나 새로 사업을 시작하려는 사람이나, 직장에 다니고 있는 사람이나 새로 취업을 해야 하는 사람 모두 요즘 같은 상황에선 살아남기가 어렵다는 걸 모르지 않겠지만 아무도 답을 일러주지 않는다. 오랫동안 몸담았던 직장을 떠나면 이젠 무엇을 하면서 살아야 할지, 이젠 내 자유의지로 하고 싶은 일을 역량을 발휘하여 나만의 사업 또는 나만의 일을 도모하고 싶은 욕구가 충만해지지만 사회는 호락

호락하지 않다.

누구인들 실패를 하고 싶겠느냐만은 성공하는 수보다 실패하는 수가 대부분이라는 건 사업이든 개업이든 여러 가지 난관이 기다리고 있는 것이다. 따라서 사업에 관련하여 구체적인 사업안도 있어야겠지만, 사업과 관련하여 보이지 않는 요소도 점검을 해야 하니 바로 그 순간에 역학적인 해석이 필요하다.

그렇다면 창업 또는 개업을 할 때, 부동산을 매매하려고 할 때, 종업원을 고용하려고 할 때 무엇을 먼저 고려해야 할까? 모든 것이 속도전이고 정보화된 이 21세기에서 그에 관하여 어떻게 판단하고 어떻게 개척해야 하는 걸까?

이에 대하여 사람들이 가장 궁금해 하는 점들을 대략적으로 이렇게 나눌 수 있다.

● 창업 또는 개업의 성공 여부

사업을 이미 경영 중인 사람이나 새로 시작하려는 사람들 모두, 경제가 아무리 어렵다 해도 자신만큼은 불운을 비껴갈 자신이 어느 정도는 있기 때문에 시작했을 것이다. 그러나 같은 장소에서 같은 인테리어와 같은 방식으로 사업을 시작해도 어떤 사람은 성공하고 어떤 사람은 실패하는 걸 볼 수 있다.

또한 식당의 경우, 같은 장소에서 여러 사람들이 음식점으로 실패한 일이 있다 하더라도 또 어떤 사람은 똑같은 곳을 인수해서 크게 변화를 주지 않고도 문전성시를 이루는 식당으로 성공시키기도 한다. 왜 같은 업종에서 같은 노력을 가지고 장사를 하는데, 누구는 흥하고 누구는 망하는 걸까? 그건 바로 그 일을 하는 데에 있어서의 당사자와의 궁합에 문제가 있었기 때문이다.

비가 오는 날 외출을 하게 되면 아무리 큰 우산을 쓰고 나가더라도 비를 한 방울도 맞지 않고는 다니기 어렵다. 하물며 사업을 함에 있어선 악천후와 천재지변 같은 요소는 더욱 무시할 수 없다. 사업에 있어서의 악천후는 성공의 길에서 그만큼 멀게 한다. 그런데 미리 천재지변을 알고 조심하고 대비하듯이, 사업을 함에 있어서도 가능하면 불가항력을 피해 갈 수 있다면 그만큼 실패에서 멀어지고 성공의 가능성은 많아진다. 그러한 조건을 미리 예측하고 조심하도록 일러주는 것이 육임으로 가능하다는 것이다.

성공에 필요한 모든 조건을 갖추었다고 하더라도 창업식 또는 개업식 자체에 문제가 잠재되어 있었다면 결국 첫 단추를 잘못 끼운 것과 같은 이치가 된다. 사람이 태어나는 순간에 한 개인의 운명이 결정지어지듯이, 창업 또는 개업하는 시간 때문에 사업의 성패는 갈릴 수 있기 때문이다. 어떤 통계에 의하면 역학적으로 판단해서 실패를 불러오는 조건에서 창업을 한 회사는 오래지 않아서 대부분 폐업을 했다고 한다.

길한 창업일을 꼽자면 보통 세덕(歲德)과 세덕합(歲德合), 천덕(天德)과 천덕합(天德合), 월덕(月德)과 월덕합(月德合)의 육덕일(六德日)과 남녀본명생기법(男女本名生氣法)과 황도일(黃道日)로 날짜를 잡고 황도시와 신장살몰귀등천문으로 창업식이나 개업식 시간을 잡는다. 특히 육덕 시간은 모든 흉이 사라지는 시간이므로 이 시간에 창업식을 가지면 대단히 길하다.

위 내용에서의 창업식과 함께, 사업을 하면 좋은 경우와 나쁜 경우로
는 다음과 같다.

1. 좋은 경우

원수과(元首課), 중심과(重審課), 체생격(遞生課), 수일정재격(水日
丁財格), 생태격(生胎格), 췌서격(贅婿格)은 길하다.

① 과전(課傳)에 일록(日祿)이나 처재효(妻財爻)가 보이면 사업을
해도 좋다.

② 귀인임명격(貴人臨命格), 귀생일간격(貴生日干格), 간지공일록
격(干支拱日祿格), 양귀인공연명격(兩貴人拱年命格)은 귀인의
도움으로 사업은 순조롭다.

③ 일순주편격(一旬周遍格), 인종격(引從格), 왕래수생격(往來受生
格), 우로균점(雨露均霑격)은 사업이 순조롭다.

④ 천재(天財)가 일간(日干)이나 연명(年命)에 임하면 길하다.

⑤ 천심작합(天心作合) 즉 삼전(三傳)이 합국하여 일간을 생하면 길
하다.

⑥ 지진(支辰)이 처재효가 되어 간상(干上)으로 오면 가장 길하다.

2. 나쁜 경우

복음과(伏吟課), 반음과(返吟課), 별책과(別責課), 요극과(遙克課),
일록폐구(日祿閉口), 나망(羅網), 두전(杜傳), 독족(獨足), 록현탈격

(祿玄脫格), 무록격(無祿格), 절사격(絶嗣格), 앙구격(殃咎格), 절태격(絶胎格), 병태격(病胎格)은 흉하다.

① 처재효 공망(空亡), 처재효(妻財爻), 세파(歲破), 형제효(兄弟爻) 중중(重重), 력허격(歷虛格), 근단원소(根斷源消)는 흉하다.

② 현무(玄武)에서 일간(日干)을 제극(制克)하면 사업을 도실(盜失) 당한다.

③ 일간(日干)에서의 탈손봉탈(脫損逢脫), 탈상봉공(脫上逢空)은 흉 하다.

④ 삼전(三傳)이 합국(合局)하여 일간(日干)을 탈기(脫氣)하면 손실 만 있다. 삼전이 합국하여 처재효이면 일간이 왕한 계절에만 길 하다.

⑤ 청룡(靑龍)이 공망(空亡)되거나, 청룡이 입묘(入廟)되거나, 청룡 이 입묘(入墓)이거나, 청룡절족(靑龍切足)은 나쁘다.

⑥ 재성(財星)에 둔귀(遁鬼)가 도사리고 있으면 흉액을 방지해야 한다.

사례 1) 사업을 시작하려는 30대 후반의 남자

새로 사업을 시작하려는 30대 후반의 남자가 찾아와서 자신이 사업을 시작하면 잘 될 것인지와, 그로 인해 재물을 축적하게 될지 등등을 물었다.

그가 찾아온 때를 본 바 일문일답은 다음으로 풀이할 수 있다. 그에 관한 일문일답의 사례를 보면 다음과 같다.

(2008년 4월18일. 戊子일 午시 戌월장 제 9국 토왕기)

Q 사업을 하게 되면 성공하겠는가?

A 일재가 재국을 형성하여 대재를 이룰 것으로 나오므로 토왕절(4월18일~5월 4일)에 득재의 수가 있다.

Q 사업을 하기에 좋은 방위는?

A 재물의 류신 子가 임하는 서남방으로 가면 된다.

Q 사업을 하여 재물이 늘어나게 되는 시기는?

A 재강신약이므로 신강해지는 토왕절에 득재한다.

Q 사업을 하게 되면 빠른 시기에 재물을 얻게 되는지?

A 재물이 비록 말전에 보이지만 늦은 토왕절에는 득재한다.

Q 사업을 하여 얻어지는 재물의 규모는 큰지 작은지?

A 재가 삼합이니 큰 재물이다.

● 결론 ; 삼전 辰申子는 재국의 순윤하이다. 이 사람은 사업을 하는 게 다른 사람 밑에서 일하는 것보다 훨씬 발전적이다. 사업을 하면 재물축적 운도 좋으므로 그 시기와 방위를 잘 알아서 사업을 시작한다면 분명 성공할 수 있다.

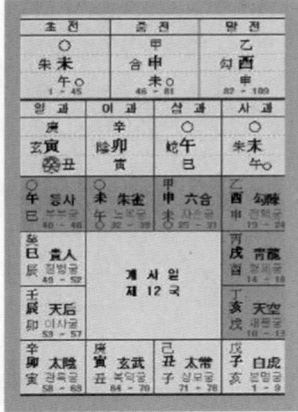

사업을 하는 건 누구나 잘 되고 성공할 거라는 기대를 갖고 있기 때문이다. 그런데 오히려 실패해서 안 하느니만 못하게 금전 손실만 입는다면 누가 사업을 시작하겠는가?

그런데 유사한 조건과 유사한 상황에서도 누구는 흥하고 누구는 망하는 것은 사업을 하는 사람의 운이 모두 다르기 때문이다.

(2008년 4월23일. 癸巳일 申시 酉월장 제 12국 토왕기)

Q 사업을 하면 득재하는지?

A 요극과이고 제3과에 처재효가 임하지만 공망이므로 사업장에서 재물을 득하기는 지극히 어렵다.

Q 사업을 하기에 좋은 방위는?

A 처재효 巳가 임한 동남방이나, 일록 子가 임한 북서방이 좋다. 그러나 개업은 흉하다.

Q 사업을 하면 득재하는 시기는?

A 득재는 어렵다.

Q 사업을 하면 재물을 속히 득하는지?

A 득재는 어렵다.

Q 사업을 하여 득하는 재물은 대재인지, 소재인지?

A 작은 재물조차 득하기 어렵다.

● 결론 ; 요극과이고 제4과상신 공망 未가 발용이다. 따라서 개업을 하더라도 재물을 득하지 못한다. 요극과에서의 초전 공망은 소득이 전혀 없는 과상이다. 이러한 경우는 사업을 하게 되면 오히려 가산의 탕진을 불러올 수 있으므로 되도록 사업을 시작하지 않는 게 좋다.

사례 3) 창업에 좋은 날과 시간은

2008년 음력 6월인 소서에서 입추 사이(양력 6월7일~8월7일)에 창업식을 하려고 한다. 창업에 좋은 날과 시간은?

아래의 황흑도 도표, 생기복덕 도표를 보고 판단한다. 황흑도 도표에서, 황도에 해당하는 날을 택하고, 다시 황도에 해당하는 시를 택하여 개업하면 된다.

위의 예에서는 음력 6월(소서~입추)에 택일을 한다고 하였으므로 술, 해, 인, 묘, 사, 신 중의 어느 일을 택하면 되고, 만약 이 날 중에서 술일을 택하였다면 진, 사, 신, 유, 해, 인 중의 어느 시를 택하면 창업에 좋은 길일 길시가 된다.

앞의 이론과 함께 또 다른 이론을 보태서 최종적으로 사업이 번창하는 길일과 길시를 가려서 창업식을 하면 된다.

황도일시와 흑도일시 도표

황도 흑도		청룡황도	명당황도	옥당황도	금궤황도	사명황도	천덕황도	백호흑도	천형흑도	천뢰흑도	주작흑도	현무흑도	구진흑도
寅월	寅일	子	丑	未	辰	戌	巳	午	寅	申	卯	酉	亥
卯월	卯일	寅	卯	酉	午	子	未	申	辰	戌	巳	亥	丑
辰월	辰일	辰	巳	亥	申	寅	酉	戌	午	子	未	丑	卯
巳월	巳일	午	未	丑	戌	辰	亥	子	申	寅	酉	卯	巳
午월	午일	申	酉	卯	子	午	丑	寅	戌	辰	亥	巳	未
未월	未일	戌	亥	巳	寅	申	卯	辰	子	午	丑	未	酉
申월	申일	子	丑	未	辰	戌	巳	午	寅	申	卯	酉	亥
酉월	酉일	寅	卯	酉	午	子	未	申	辰	戌	巳	亥	丑
戌월	戌일	辰	巳	亥	申	寅	酉	戌	午	子	未	丑	卯
亥월	亥일	午	未	丑	戌	辰	亥	子	申	寅	酉	卯	巳
子월	子일	申	酉	卯	子	午	丑	寅	戌	辰	亥	巳	未
丑월	丑일	戌	亥	巳	寅	申	卯	辰	子	午	丑	未	酉

● 업종 선택의 문제

사업에 있어서 업종은 매우 중요한 선택이다. 어떤 경우엔 자신이 관심 있던 업종이 사업 아이템이 되기도 하지만, 대부분은 사업의 여부를 결정한 다음 업종을 선택하게 된다. 21세기 사회에서 선택할 수 있는 업종은 이루 헤아릴 수가 없을 정도이다.

아무리 전망이 좋은 업종이라도 어떤 사람에게는 맞지 않을 수 있고, 또 어떤 업종은 비인기 업종이라 하더라도 의외로 재물을 불러오기도 한다. 그것이 곧 사업의 운이고 궁합인 것이다. 물론 현실과 주변 여건과 시류를 무시할 순 없지만, 아무리 당대의 인기 업종이라 하더라도 당사자와 맞지 않는 업종을 선택했다면 원하는 바를 이룰 수 없다. 그러므로 창업을 하는 이에게는 업종 선택이 대단히 중요하다. 육임으로는 돈을 뜻하는 청룡이나 처재효가 과전에 보이고 이들이 어느 12지와 12천장에 탔는지에 따라서 품목이 달라진다.

처재효란 처첩, 비복, 부하직원 등 나와 밀접한 관계에 있거나 내 수하에 두고 있는 사람에 해당하는 부분을 말하는 것으로 처재효로 용신을 삼는다. 가령 태상이 타고 있는 처재효가 목(木)이면 의류업을 하는 게 좋고, 수(水)이면 요식업을 하는 게 이 좋다. 귀인이 처재효에 타면 머리 장식과 관련된 업종이 좋고, 등사가 처재효에 타면 값싸고 흔한 물품을 다루는 일을 하는 게 좋으며, 주작이 처재효에 타면 주식과 관련된 품목이 좋고, 육합이 처재효에 타면 매매나 중개하는 품목 또는 물류업이 좋으며, 구진이 처재효에 타면 부동산에 관련된 품목이 좋다.

그리고 청룡이 처재효에 타면 고가의 물품을 다루는 업종을 선택하는 게 좋은 것으로 본다.

■ 사례 1) 어떤 업종으로 창업해야 하는지

2008년 6월13일 오후 7시에 40세 남자가 찾아왔다. 창업을 하고 싶은데 어떤 업종을 선택하면 좋은지를 물어왔다. 2008년 6월13일 오후 7시를 육임학에서 사용하는 단위로 바꾸면, 甲申일 酉시이고 태양(월장)은 未궁에 머물고 있으며, 풀기 위한 운명도를 그리면 다음과 같다.

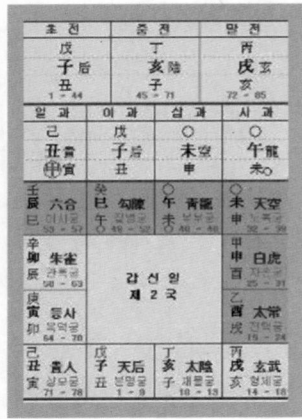

품목을 정할 때에는 청룡, 처재효, 일록을 보고 판단한다. 운명도에서는 천을귀인이 丑에 타고 있다. 먼저 40세 남자는 己酉생이고 금년의 행년은 巳이다.

(1) 12천장을 보고 업종 품목 정하기

일간상의 丑에 천을귀인이 타고 있다. 아래의 표에 의하면 천을귀인에 해당하는 물품에는 진주, 비녀, 팔찌, 보석류, 머리장식품이 있다. 따라서 이들 중에서 창업 품목을 정하면 된다.

12천장으로 알 수 있는 품목

12천장	해당 물품
귀인(貴人)	진주, 비녀, 팔찌, 보석류, 머리장식품.
등사(螣蛇)	콩, 보리, 기와, 괴이한 물품, 반짝이는 물건, 독극물.
주작(朱雀)	문서, 깃털, 괴이한 물품, 반짝이는 물건.
육합(六合)	나무 문갑, 그릇, 상아, 대나무 제품.
구진(句陳)	가죽, 기와, 질그릇, 화폐(동전).
청룡(靑龍)	글, 그림, 문장, 증권.
천공(天空)	병, 항아리, 깃발, 의장, 수건, 금석, 인장업.
백호(白虎)	구리, 쇠, 골기(骨器), 금동철기, 칼, 검, 살상용품.
태상(太常)	면, 비단, 술과 안주, 의약품.
현무(玄武)	조개껍질, 자개장, 붓과 먹, 여자용품.

태음(太陰)	삼베와 비단, 칼, 자, 침 .
천후(天后)	쌀과 콩, 실, 삼베, 여인용품.

(2) 12지를 보고 업종 품목 정하기

일간상에 丑이 있다. 아래의 표에 의하면 丑에 해당하는 용품에는 각종 도량형, 신발, 의류와 음식물, 부동산, 모자 · 갓 · 두건 · 혁대, 묘지, 제단, 창고, 丑에 태상이 타면 전택(田宅), 丑에 천공이 타면 두레박, 丑이 卯酉에 가하면 항아리 등이 적혀 있다. 따라서 이들 중에서 창업 품목을 정하면 된다.

12支로 알 수 있는 품목

12支	해당 물품
子	여인용품인 화장품과 비녀, 석탄, 얼음, 물통, 밥그릇, 항아리, 병(瓶), 子에 玄武가 타서 亥에 가하면 사탕이나 설탕, 騰師가 子에 타면 욕조, 子가 辰戌에 가하면 항아리.
丑	도량형, 신발, 의류와 음식물, 부동산, 모자 · 갓 · 두건 · 혁대, 묘지, 제단, 창고, 丑에 太常이 타면 전택(田宅), 丑에 天空이 타면 두레박, 丑이 卯酉에 가하면 항아리.
寅	큰 교량, 대들보, 사발종지와 접시, 의약품, 문서(文書), 관청, 제기(製器), 도로, 관청, 사당, 레스토랑, 주점(酒店), 병풍, 관곽(棺槨).
卯	자동차와 선박, 모든 나무 제품들 빗 · 향합 · 도마 · 나무바퀴 · 대그릇 · 수저 · 바구니 · 삼태기 · 상자 · 병풍 · 베개, 나무그릇, 책걸상, 목재 악기인 피리 · 퉁소 · 거문고 · 가야금 · 생황 · 북, 출입문 · 창문 · 계단 · 옷을 거는 시렁, 시체를 넣는 널.
辰	그물, 군복, 약재, 벽돌과 기와, 돌난간, 쇠고랑, 담벼락과 정원, 항아리와 옹기, 잠업에 쓰이는 잠박, 산소, 수로(水路), 부동산.
巳	화로, 살상용 무기(총, 활, 화살), 도자기, 질그릇, 절구와 공이, 철제 솥과 광주리, 巳가 申에 가하면 가마, 巳가 酉에 가하면 주둥이는 크고 중배가 나온 병.
午	모피, 화로, 문장(글과 그림), 양초와 조명등, 기, 실로 수를 놓은 자수, 상(床), 궤짝(함), 太常이나 六合이 午에 타면 의물(衣物)이나 휘장.

未	목화, 삼베, 의복, 모자, 치마, 술, 음식, 주기(酒器), 대자리, 의약품, 주렴(발), 화장품, 모든 음식물류.
申	금은, 검(劍), 동전, 실과 솜, 칼, 약물, 우체국.
酉	금은 장식품, 구슬·보석·진주, 거울, 은전·동전, 칼(刀), 네모진 비석과 둥근 비석, 디딜방아와 연자방아, 酉가 수사기이면 작은 칼, 白虎가 酉에 타서 왕상기이면 금옥(金玉), 丙丁일 정단에 酉에 태음이 타면 돈.
戌	끈, 포승줄, 자물통, 자물쇠, 도장, 신발, 기와, 가래와 호미와 추, 예복, 군수품, 방아와 맷돌, 진흙으로 구운 와기, 성곽, 戌에 太常이 타면 도장.
亥	실, 줄, 먹줄, 서화(圖畵), 휘장·천막·군막(帳), 우산·삿갓, 호리병, 둥근 고리, 가축우리와 난간, 가축 먹이그릇과 물통, 어린이 장난감, 亥가 巳에 가하면 피리.

● 돈 버는 터인지에 관한 물음

사업에서의 업종도 중요하지만, 사업에서의 성패를 가장 크게 좌우하는 것은 바로 사업을 하려는 사업장이다. 우리 주변에서 터와 관련된 이야기를 들어보면, 어떤 점포에서는 유난히 장사가 잘 되어서 경제적인 큰 이윤을 남긴 예가 있는가 하면, 또 다른 예로는 경제적인 큰 손실만 입고 결국 폐업했다는 이야기를 종종 접할 수 있다.

참고로 사람이 거주하는 가옥에 대하여 조언한다면, 사업 터에 관련된 이론은 비단 재물의 이익을 추구하는 사무실에만 국한되는 것은 아니다. 사람이 거주하면서 밥을 지어 먹고 잠을 자면서 생활하는 가옥에도 마찬가지로 적용된다. 만약 좋은 가옥에 거주를 한다면 가운이 점점 좋아져서 재산이 점차 늘어나고 건강하게 장수하면서 영화를 누릴 수 있다. 하지만 나쁜 가옥에 거주한다면 가정에 음란사가 생기기도 하고, 화재가 나기도 하며, 직장을 잃기도 하고, 사업이 잘 안 돼서 폐업을 하며, 어떤 경우는 부부가 불화하여 생이별하거나 또는 배우자와 사별까지 하기도 한다. 이와 같이 가옥은 점포에 못지않게 중요하다는 것을 알 수 있다.

그럼 좋은 점포의 조건을 동양의 오행으로 살펴보자.

우선 주위의 형세가 산이나 큰 건물을 등지고 있는 사무실인지와 더불어서 사무실이 있는 건물 앞에 물이나 도로가 완만하게 포물선을 그리면서 점포를 감싸면서 흐르고 있는지도 함께 봐야 한다.

이에 못지않게 놓쳐서는 안 되는 것은 점포 또는 사무실 내부의 위치이다.

이를 알아보는 데에 쓰이는 나경(사진)을 사무실 중앙에 놓고 좌향을 정한 다음에, 손님이 드나드는 문을 확인하여 재물이 들어오는 터인지 아닌지를 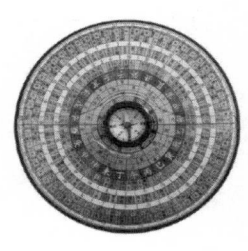 고려하는 게 좋다. 사업장의 장소와 방위, 그리고 인테리어의 문제는 단순히 편리하고 드나들기 좋다는 것으로 결정될 일이 아니다. 만약에 사업장 소재지가 사업을 하는 당사자와 맞지 않다면 사업이 잘 되도록 개선을 해야 될 것이다.

이와 같이 창업에서 업종을 잘 선택해야 되는 외에 장소 선택이 중요한데, 사업장의 적합성 여부를 보려면 먼저 생기와 복록이 넘치는 점포를 택하고, 다음으로는 사업장 내에서 가장 밝고 생기가 넘쳐나는 곳을 팔택(八宅)에는 생기택(生氣宅), 오귀택(五鬼宅), 연년택(延年宅), 육살택(六殺宅), 화해택(禍害宅), 천복택(天福宅), 절명택(絶命宅), 귀혼택(歸魂宅)이 있다. 이 중에서 생기택과 연년택은 대길(大吉)하고, 천복택은 중길하며, 귀혼택은 소길(小吉)하다. 오귀택, 육살택, 화해택, 절명택은 흉한데 이 중에서 가장 흉한 것은 절명택, 둘째로 흉한 것은 화해택, 셋째로 흉한 것은 육살택이다.

계산대가 있는 곳과 더불어서 주인이 주로 머물면 길한 방위는 생기방(生氣 方), 연년(延年方), 천복(天福方), 귀혼(歸魂方)에 배치하는 것이 좋다. 그러나 화장실, 냉풍기, 창고는 흉한 방위인 오귀방(五鬼), 육살방(六殺), 화해방(禍害方), 천복방(天福方), 절명방(絶命方), 귀혼방(歸魂方)에 배치하는 것이 좋다. 만약에 계산대가 있는 곳과 재물을 모을 수 있는 방위에 주인이 앉아서 근무한다면 돈을 더욱 많이 벌게 될 것이다.

┏ 사례 1) 손님이 적어 고민중인 식당 주인

제법 큰 식당을 열었으나 손님이 적어서 고민이라는 식당 주인이 찾아온 적이 있었다. 문을 닫자니 그 동안 들인 돈에 대한 손실을 고스란히 끌어안아야 하고, 그렇다고 계속 영업을 하자니 하면 할수록 운영비가 손해나는 상황이었다. 이러지도 저러지도 못하고 고민만 하다 과연 어떻게 하는 게 현재 상황에서 최선인지 알려고 찾아온 것이다.

식당 주인을 앞세우고 문제의 그 식당을 찾아가 보았다. 식당에 도착해서 풍수학적으로 살펴보았더니, 경제적으로 큰 손실이 뒤따르고 오히려 여러 가지 화를 불러올 수 있는 상황이었다.

식당 주인에게 조심스럽게 해악을 끼칠 수 있는 조건에서 벗어나 재물복을 불러올 수 있는 방법을 일러주었다.

몇 가지 조언과 함께 출입문과 카운터의 위치를 옮기도록 하였다. 보름 후에 그 식당 주인으로부터 다시 한 번 방문해 달라는 전화를 받고 찾아가 보니 전과는 다르게 손님이 줄을 잇고 있었다. 식당 주인이 나를 보더니 환하게 웃으면서 달려와 수차례 감사하다는 인사를 했다. 이처럼 양택의 이론은 식당을 비롯하여 사업장, 점포, 업소 등 전반적인 장소 선택에서 중요한 조언과 도움을 줄 수 있다.

▌사례 2) 지지부진한 운영에 걱정만 태산

하루는 부동산중개업을 하는 분이 찾아왔다. 그는 늦은 나이에 어렵게 공부하여 부동산 중개사무소를 냈으나 생각처럼 운영이 되지 않아서 걱정이라고 했다. 며칠 후 시간을 내서 사무실을 방문하였다.

사무실을 살펴보니 재산을 탕진하고 처를 극하는 형국이었다. 사무실은 비교적 사람의 왕래가 많은 곳인데도 불구하고 제대로 그 환경을 활용하지 못하고 있었던 것이다. 사람들이 왕래하는 출입문을 옮기게 하고, 주인이 앉는 자리를 재배치하여 길한 방위에 앉아서 상담할 수 있도록 조언하였다.

원래 문이란 신선한 에너지가 들어올 수도 있지만, 반대로 탁하고 사악한 기운이 들어올 수도 있다. 출입문을 조정함으로써 가옥이나 점포의 에너지 흐름을 크게 바꿀 수가 있는 것이다.

그로부터 몇 달 후에 전화가 왔다. 조언을 받아들인 이후부터 사무실에 손님이 늘고 수입이 많아졌다는 것이었다. 이와 같이 사업장의 소재 위치와 점포 내부 선정에 관하여 수천 년을 이어온 역학의 이론을 활용한다면 가정 살림을 넉넉하게 할 수 있을 것이다.

● 창업 방위에 관한 물음

수년 전에 괌에서 대한항공 소속의 비행기 사고로 많은 인명 피해가 있었다. 다양한 국적의 다양한 비행기가 많은데, 왜 하필 그때 괌에서 비행기 사고가 있었을까? 여러 가지 과학적인 조사와 설명이 있었지만 석연찮다. 이는 방위가 사람의 인명에 지대한 영향을 미칠 수도 있다는 것을 알려준다.

삶의 터전인 사무실이나 상업용 점포의 방위 선정에 따라, 삶에 풍요로움을 안겨줄 수도 있지만 빈곤을 안겨줄 수도 있으므로, 이러한 의미에서 창업 방위의 선정은 중요하다고 볼 수 있을 것이다. 이에 관련된 방법은 창업이나 개업을 하는 사람과 옮겨갈 지역과의 화합이 잘 되는지를 살피는 것이라고 볼 수도 있다.

창업이나 개업 방위 또는 사무실이나 상업용 점포를 이전하는 데에는 정통적으로 전해져 내려오는 좋은 방법이 있다. 이 방법을 따르면 재액을 피하고 축재(蓄財)할 수 있다. 이는 창업주나 개업주의 나이에 의하여 정해진다.

창업이나 개업 방위를 창업주나 개업주의 나이로 결정하는 방법으로, 육임의 달인인 제갈공명이 널리 활용했다는 방법이다. 이 방법은 구궁에서 나온 이론으로, 천록(天祿), 안손(眼損), 식신(食神), 징파(徵破), 오귀(五鬼), 합식(合食), 진귀(進鬼), 관인(官印), 퇴식(退食)이 있다. 독자들을 위하여 창업주의 나이별 길흉방을 아래의 도표에 싣는다.

창업방위 조견표

남녀	나이	○ 천록	× 안손	○ 식신	× 징파	× 오귀	○ 합식	× 진귀	○ 관인	× 퇴식
남	1 10 19 28 37 46 55 64 73 82	동	동남	중	서북	서	동북	남	북	서남
여	2 11 20 29 38 47 56 65 74 83									
남	2 11 20 29 38 47 56 65 74 83	서남	동	동남	중	서북	서	동북	남	북
여	3 12 21 30 39 48 57 66 75 84									
남	3 12 21 30 39 48 57 66 75 84	북	서남	동	동남	중	서북	서	동북	남
여	4 13 22 31 40 49 58 67 76 85									
남	4 13 22 31 40 49 58 67 76 85	남	북	서남	동	동남	중	서북	서	동북
여	5 14 23 32 41 50 59 68 77 86									
남	5 14 23 32 41 50 59 68 77 86	동북	남	북	서남	동	동남	중	서북	서
여	6 15 24 33 42 51 60 69 78 87									
남	6 15 24 33 42 51 60 69 78 87	서	동북	남	북	서남	동	동남	중	서북
여	7 16 25 34 43 52 61 70 79 88									
남	7 16 25 34 43 52 61 70 79 88	서북	서	동북	남	북	서남	동	동남	중
여	8 17 26 35 44 53 62 71 80 89									

남	8 17 26 35 44 53 62 71 80 89	중	서북	서	동북	남	북	서남	동	동남
여	9 18 27 36 45 54 63 72 81 90									
남	9 18 27 36 45 54 63 72 81 90	동남	중	서북	서	동북	남	북	서남	동
여	10 19 28 37 46 55 64 73 82 91									

* 도표에서 구기에서의 중은 같은 건물 안에서의 이동 또는 이사를 하지 않는 것을 말한다.

아홉 방위를 설명하면 다음과 같다.

① 천록방(天祿方)	하늘의 록을 받는다는 뜻을 지닌 방위이다. 사업인은 재물 운이 좋아지고, 공무원은 관운이 좋아지며, 직장인은 직장 운이 좋아지는 방위이다.
② 안손방(眼損方)	재물이 사라지고 시력이 나빠지는 방위이다.
③ 식신방(食神方)	활발하게 활동하여 의식이 풍부해지고 치부하는 방위이다.
④ 징파방(徵破方)	징파는 파재(破財)를 부른다는 뜻이다. 재물을 잃거나 도난을 당하는 방위이다.
⑤ 오귀방(五鬼方)	오귀란 동서남북천상의 귀신을 뜻한다. 질병과 관재를 비롯한 여러 가지의 흉액을 부르는 방위이다.
⑥ 합식방(合食方)	부귀를 모두 누린다는 뜻이다. 특히 재물 운이 좋아지는 방위이다.
⑦ 진귀방(進鬼方)	질병을 비롯한 여러 가지의 흉액을 부르는 방위이다.
⑧ 관인방(官印方)	수험생은 합격하고 관직자나 직장인은 승진하는 길한 방위이다.
⑨ 퇴식방(退食方)	가산(家産)이 모두 사라지는 방위이다.

[예제] 28세 남자 가장이 이사를 가고자 한다면, 현재 거주지를 기준으로 동으로 가면 천록 방위라 좋고, 제자리에 머물면 식신 방위라 좋으며,

동북으로 가면 합식 방위라 좋고, 북으로 가면 관인 방위라 좋다.

● 직원 채용에 관한 문제

사업을 함에 있어서 고려해야 할 요소가 많지만, 그 중에서도 직원 채용에 관한 문제는 그 핵심이라 해도 과언이 아니다. 종업원이든 직원이든 아랫사람을 두고 하는 일에는 내 의지만으로 안 되는 게 많다.

육임학으로 직원 또는 종업원이 도움을 줄 사람인지, 피해를 줄 사람인지를 알 수 있다. 여러 종류의 역학 중에서 직원 채용에 대한 명확한 답을 줄 수 있는 학문은 육임학 외에는 없다고 자부하는데, 그 이유는 육임학에는 세상살이에서의 주객관계가 명확하게 설정되어 있기 때문이다. 특히 종업원이나 직원을 채용하는 정단에서는 회사(또는 점포)와 직원(또는 종업원)과의 득실관계가 명확해진다. 이를 풀이하는 방법에는 두 가지가 있다.

첫째는 일지를 일간에 대입하여 득실을 판단하는 방법이고, 둘째는 종업원을 뜻하는 류신을 일간에 대입하여 득실을 판단하는 방법이다.

첫째의 방법으로는, 채용하는 사람을 일간에 배정하고 종업원을 일지에 배당하여 종업원을 채용한 이후의 득실을 판단한다. 대체로 일지에서 일간을 생하거나, 지상이 일간의 처재효이면 그 종업원은 회사에 이익을 주는 사람으로 판단한다. 그러나 일지에서 일간을 극(극형충파해)하거나 설기하면 회사에 피해를 입히는 사람으로 판단한다. 특히 일간의 기운을 빼는 12支에 현무라는 천장이 탄다면, 입사 후에 회사의 재물을 훔치거나 회사의 주요 기밀을 빼가는 종업원이 된다.

둘째의 방법으로는, 남자 종업원을 채용하려고 한다면 삼전에 있는 戌과 일간과의 관계를 보아서 판단하고, 여자 종업원을 채용하려고 한다면 삼전에 있는 酉와 일간과의 관계를 보아서 판단한다. 만약 남자 종업원을 채용하려고 한다면, 남자 종업원을 뜻하는 戌이 삼전에 임하여 고용주를 뜻하는 일간을 돕는지 또는 그렇지 않은지를 보면 종업원을 채용한 이후의 득실을 알 수 있다.

예를 들어 삼전에 있는 戌에 천을귀인, 육합, 청룡, 태상, 천후의 착한 천장이 타서 고용주를 뜻하는 일간을 생해주거나 일간의 처재효에 해당한다면, 그 종업원은 회사에 큰 도움을 선사하는 종업원이라고 판단한다. 그러나 남자 종업원을 뜻하는 戌에 등사, 주작, 구진, 천공, 백호, 현무, 태음이 타서 고용주를 뜻하는 일간을 극(극형충파해)하면, 고용주에게 큰 피해를 입히고, 만약 일간을 설기한다면 도둑고양이처럼 회사운영에 경제적인 큰 손실을 입히게 된다.

종업원을 채용한 이후의 득실을 더욱 세밀하게 알고 싶다면 戌이나 酉의 음신을 살피면 된다. 이때 남자 종업원을 자세하게 알고 싶다면 戌의 음신을 보면 되고, 여자 종업원을 자세하게 알고 싶다면 酉의 음신을 보면 된다.

풀이를 하는 방법은 위에 있는 설명에서의 戌과 酉를 보는 방법과 동일하다. 만약 삼전에 남자 종업원을 뜻하는 戌과 여자 종업원을 뜻하는 酉가 보이지 않으면, 일지와 일간과의 생극과 함께 천공과 일간과의 생극을 보면 된다. 만약 삼전에 천공조차 보이지 않으면, 일지와 일간과의 생극과 함께 戌이나 酉위에 있는 12지와 일간과의 생극을 보면 된다.

다음으로 입사 후의 종업원의 기타 상황을 알 수 있다. 종업원을 뜻하는 12支에 12천장 중에서 무엇이 타고 있는지를 보면 이 외의 여러 가지 정황을 알 수 있다. 이때 남자 종업원을 채용한다면 戌에 타고 있는 천장을 보고, 여자 종업원을 채용한다면 酉에 타고 있는 천장을 본다. 만약 남자 종업원을 알고자 한다면, 남자 종업원을 뜻하는 戌에 육합이나 태음이 타면 입사 후에 도망치거나 사내에서 연애를 하는 종업원이고, 백호가 타면 자주 병을 앓는 종업원이며, 주작이 타면 시시비비가 많은 종업원이고, 등사가 타면 괴이한 짓을 많이 하는 종업원이며, 구진이 타면 싸움을 많이 하는 종업원이고, 천공이 타면 사기를 치는 종업원이다. 그리고 만약 여자 종업원을 알고자 한다면, 여자 종업원을 뜻하는 酉에 무엇이 타고 있는지를 보아 남자 종업원을 보는 방법대로 보면 된다.

● 거래처 또는 사업 파트너에 관한 문제

거래처 또는 사업 파트너 곧 동업자와의 이해득실을 아는 것은 대단히 중요하다. 거래처를 잘못 두면 수고만 하고 상응하는 대가를 받지 못하거나, 제때에 물건을 납품하지 않아서 막대한 경제적인 손실을 초래할 수도 있기 때문이다.

이를 육임으로 아는 것은 어렵지 않다. 육임에서는 나 또는 내가 대표하는 회사는 일간에 배정하고 거래처 또는 동업자는 일지에 배정하여 판단한다. 가령 나와 궁합이 잘 맞는 거래처를 알고 싶다면, 거래처를 뜻하는 일지에서 나를 뜻하는 일간을 생하거나 처재효에 해당하면 약속을 잘 지키는 좋은 거래처로 판단한다. 만약 거래처를 뜻하는 일지에서 나를 뜻하는 일간을 극하거나, 설기하거나, 공망이면 그 거래처로 인하여 손실을 보게 된다고 판단한다.

또한 나와 궁합이 잘 맞는 동업자를 알고 싶다면, 동업자를 뜻하는 일지에서 나를 뜻하는 일간을 생하거나 처재효에 해당하면 좋은 동업자로 판단한다. 만약 동업자를 뜻하는 일지에서 나를 뜻하는 일간을 극하거나, 설기하거나, 공망이면 그 거래처로 인하여 손실을 보게 된다고 판단한다.

꼭 보아야 할 곳은 삼전이다. 삼전에 재물을 뜻하는 청룡이나 처재효가 적혀 있으면 동업을 하여 돈을 버는 것이고, 삼전에 재물을 뜻하는 청룡이나 처재효가 적혀 있지 않으면 동업을 하여 돈을 벌지 못하여 사업은 실패를 하게 된다.

따라서 사업을 함에 있어서 새로운 곳과 손을 잡고 일을 해야 할 경우 자신에게 이득을 가져다주는 관계인지 또는 손실을 입힐 관계인지를 알고 싶다면, 육임학의 풀이 방법으로 조언을 구한다면 더 확실한 거래를 할 수 있을 것이다.

사례) 동업은 해도 괜찮은지

사업을 하는 분이 찾아와 동업을 해도 좋을지에 대해 물어왔다.

(2009년 7월 21일. 戊子년 己未월 壬戌일 申시 未월장, 제2국 낮정단 토왕기)

Q 사업(동업) 경영은 순조로울지?

A 점시 申은 여름 정단의 상기이지만 청룡의 다리가 부러지고 비늘이 벗겨졌으므로 흉하고, 또한 지진 戌이 간상으로 와서 일간을 극하므로 이 일을 하면 크게 화를 당한다. 그리고 삼전인 戌酉申은 퇴여격(退茹格)의 반가(返駕)이므로 하려는 일을 원점으로 되돌리는 것이 좋다. 사업 궁합은 간지상신(干支上神)이 육해(六害)이므로 서로의 가슴에 못을 박는 상인데 특히 상문난수(上門亂首)이므로 큰 피해가 예상된다.

1) 직사문(直事門) : 점시 申에 청룡이 타고 있으므로 구재사(求財事)이지만 청룡의 다리가 부러졌으므로 흉하다.

2) 외사문(外事門) : 지진 戌이 간상으로 와서 귀살(鬼殺)에 백호를 태워서 일간을 극하므로 상대방으로 인하여 질병 등의 불상사를 당한다.

3) 내사문(內事門) : 상대는 酉에서 일간을 생하려고 하지만 공망의 뜻을 지닌 천공이 패신(敗神)에 타고 있으므로 허의(虛意)가 된다.

4) 발단문(發端門) : 백호가 귀살에 타서 일간을 극하고 있으므로 흉이 예상되고, 또한 괴도천문(魁度天門)이므로 여러

가지의 장애가 예상된다.

5) 이역문(移易門) : 酉에서 비록 일간을 생하지만 패신에 천공이 타고 있으므로 길하지 못하다.

6) 귀결문(歸結門) : 사업에서의 목적은 재물인데 결국은 돈이 되지 못한다. 그 이유는 청룡이 양금 申에 타고 있기 때문이다.

7) 변화문(變化門) : 본명 戌상에는 패신인 酉에 천공이 타고 있으므로 흉하고, 행년 未상에는 일재 午에 육합이 타고 있으므로 재물을 취득할 것으로 보이지만 둔반(遁盤)의 戊토에서 일간을 극하므로 사업을 통한 흉액을 당할 수 있다.

● 부동산 매매에 관한 문제

부동산 매매에는 늘 크고 작은 변수가 뒤따른다. 사업을 하면서는 더욱 그렇다. 부동산 거래로 인해 예기치 않게 큰 이득이 생기는가 하면, 반대로 매매 시기가 맞지 않아서 크고 작은 손실을 보기도 한다.

또한 부동산 거래의 시기도 중요하지만 부동산을 매입하게 될 때, 어느 방위의 어떤 입지의 부동산이 이득을 가져올지에 대해서도 신중한 선택이 필요하다.

그리고 중개업자를 믿어도 좋은지, 또는 손실을 입힐 수 있는 사람인지의 여부도 부동산 거래에 영향을 미친다. 이러한 모든 변수와 결과를 미리 예측하고 정단할 수 있는 학문이 바로 육임이다.

사례 1) 재개발 매물 사면 가격이 오를까

중소기업체를 경영하는 분이 찾아와서 재개발 지역에서 부동산 매물이 나왔는데, 이 매물을 매입 후 가격이 오를지를 물어왔다.

(2009년 6월7일. 戊子년 戊午월 戊寅일 午시 申월장, 제11국 낮정단)

Q 부동산을 지금 매입하면 저가로 사게 되는 건지?

A 점시는 사업을 뜻하는 부모효 午에 청룡이 타고 있으므로 사업상 재물에 관련된 일이고, 발용 辰은 토이므로 부동산에 관련된 일이며, 여기에 육합이 타므로 부동산 매매사임을 알 수 있다.

제3과의 일지 辰에서 발용이므로 싼 가격임을 알 수 있고, 辰에 육합이 타서 상하협극이므로 가격은 한층 더 싸다는 것을 알 수 있다. 그리고 매입은 급히 일어나는데 그 이유는 동신인 辰이 발용이기 때문이다.

Q 앞으로 부동산 가격이 오르는지?

A 삼전에서 辰午申의 등삼천은 용이 승천하여 감로수를 뿌리는 상이므로 가격은 수직 상승한다는 것을 예상할 수 있고, 또한 중전의 午가 여름의 왕기이므로 부동산 가격이 점차 오른다

는 것을 역시 예상할 수 있다. 만약 午가 왕한 계절인 여름에
매각하면 경제적인 이윤을 크게 남길 수 있을 것이다.

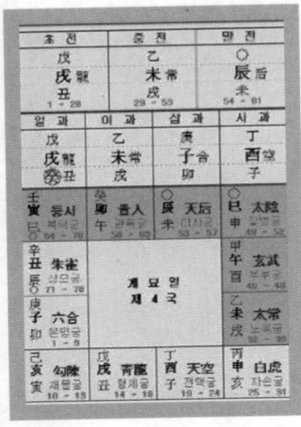

사례 2) 사업 확장 위한 부동산 매각 시 기는

사업 확장을 위해 부동산을 매각하려는
사업주가 매각 시기를 알려고 찾아왔다.
(2009년 7월2일. 戊子년 戊午월 癸卯일
戌시 未월장, 제4국 밤정단)

Q 소유하고 있는 부동산을 사려는 사람이 나타났는데 거래가
성사될지?

A 점시 戌토에 청룡이 타서 다시 발용이므로 래정은 부동산 일
임이 틀림없다. 점시와 발용에서 일간을 극하므로 부동산으
로 인한 심한 경제적인 고통이 있다는 것을 알 수 있다. 일간
과 일지가 교차 생합하고 발용의 戌에서 연명 상신 申酉를 생
하므로 팔리고, 그 시기는 동신이 발용이므로 속히 매각된다.

Q 언제 팔릴지?

A 부동산의 류신 戌에서 연명상신을 생하므로 곧 매각되고 그
시기는 戌이 동신이므로 속히 매각된다.

사례 3) 사업자금 만들려면 언제 부동산 팔아야 하나

재개발 지역에 거주하는 분이 사업자금 때문에 부동산을 매각하려고 하는데 시기가 적당한지를 물었다.

(2009년 4월1일. 戊子년 乙卯월 辛未일 寅시 戌월장, 제5국 밤정단)

초 전	중 전	말 전
丁 卯合 未 1-32	○ 亥白 卯 33-50	辛 未后 亥○ 51-70

일 과	이 과	삼 과	사 과
庚 午 戌	丙 寅 午	丁 卯合 未	○ 亥白 卯

신 미 일
제 5 국

Q 부동산을 지금 매각하는 것이 좋을지 아니면 나중에 매각하는 것이 좋을지?

A 발용이 길하므로 지금 매각하는 것이 좋다.

Q 앞으로 부동산 가격이 오르는지?

A 점시는 처재효 寅이고 여기에 구진이 탄다. 따라서 부동산으로 돈을 구하는 일임을 알 수 있다. 또한 발용은 처재효 卯에 육합이 타고 있으므로 매매사로 돈을 구하는 일임을 알 수 있다. 비록 일지에서 발용이 되었지만 봄 정단에서 왕성하고 또한 타고 있는 천장과 상생할 뿐만 아니라 길장이 타고 있으므로 고가임을 알 수 있다. 매각 시기는 중말전이 왕상하지 못하므로 나중을 기대하기보다는 앞에서의 설명과 같이 지금이

고가이므로 올 봄에 매각하는 것이 이익이 크다. 한편 처재효
에 육합이 타고 정마가 가세하므로 매각은 신속하게 이루어
지고 경제적인 이윤 또한 크다.

PART 6

김백문

인간과 궁합,
성명과 궁합

경기도 역술인협회 감사. 대전대학교 동양문화연구소 초빙연구원. 백문역학연구회 회장.
http://www.sajudoin.com
http://www.nameluck.com
전화 031-758-4231

❀ 운명에 궁합은 어떤 영향을 미치나

　인생은 자기 의지대로만 살아지는 게 아니다. 살다 보면 이런저런 일들이 많다. 어느 노래 가사에서처럼 어떤 이는 남의 꿈을 뺏고 살고, 어떤 이는 남의 꿈을 먹고 사는 천태만상의 사람들이 존재한다.

　그리고 그 수많은 사람들 속에서 누군가와 인연을 맺기도 하고 또 누군가와는 악연이 되기도 한다. 그리고 사회생활을 하다 보면 나도 모르게 상대에 대한 알 수 없는 호감 혹은 거부감을 갖게 될 때가 있다. 친구들 간에도 어떤 친구는 아무리 가깝게 지내도 늘 불편하고 마음을 상하게 하는 친구가 있는가 하면, 어떤 친구는 굳이 말을 하지 않아도 서로 통하고 알아주는 친구가 있다.

　사람에게는 그 자신만의 파장과 기가 존재한다. 기가 맞지 않으면 갈등, 반목, 시비 등이 생기지만 서로의 기가 맞으면 기쁨, 화합, 우정, 사랑 등의 분위기가 자연스럽게 조성된다. 역학을 공부하는 전문가 입장에서 본다면 삶의 질과 조건이 좋아지려면 첫째로 선천적인 운명인 사주가 좋아야 하고 둘째로는 좋은 배우자를 만나야 한다.

첫째 경우는 어쩔 수 없는 필연이지만 둘째의 경우는 선택의 여지가 있으므로 가능하면 신중하게 알아보고 판단해서 결정하는 것이 좋다. 아무리 문화가 발전하고 첨단과학의 시대라 하더라도 많은 사람들이 아직도 결혼을 앞두고 궁합을 보는 사람들이 많다.

누구나 행복한 결혼을 원할 것이다. 그렇지만 모든 사람들이 결혼을 해서 행복하게 사는 것은 아니다. 결혼 전에 서로 없으면 못 살 것 같이 잘 맞아서 천생연분이라고 생각해 결혼을 했는데 실제 결혼생활에서는 불화가 끊이지 않아서 헤어지는가 하면, 어떤 사람들은 양가의 의지에 의해 마음에도 없는 결혼을 했음에도 살면서 사이가 점점 좋아져 남들이 부러워하는 가정을 꾸려나가기도 한다.

이렇게 되는 데에는 알게 모르게 두 사람의 관계에 작용하는 궁합의 좋고 나쁨이 영향을 미쳤기 때문이다. 아무리 본인의 사주가 좋다 하더라도 파트너의 사주가 나쁘다면 두 사람이 함께 도모하는 일에 최상의 결과를 가져오기 어렵다. 사적인 일상생활에서든 사회생활을 함에 있어서든 상대방 혹은 환경에 대한 궁합의 작용은 때론 긍정적 효과를 낳기도 때론 부정적 효과를 낳기도 한다. 그만큼 궁합이 중요하다.

대표적으로 궁합과 관련한 운의 변수란 이렇게 달라질 수 있다.

1) 궁합이 안 좋은 사람은 배우자와 헤어지고 나면 운이 좋아진다.
2) 궁합이 좋은 사람과 합치면 운이 상승한다.
3) 부부가 합심해서 사업을 하다가 한 사람이 사업에서 손을 떼게 되면 설령 사업을 하는 사람이 운이 좋아도 수익은 감소한다.

4) 타인과 동업을 하다가 한 사람이 그만두면 매출액은 감소하지만 이
   익은 늘어난다.
5) 똑같은 사주라도 이름이 다르면 성격이나 인성, 운명 등에 차이가
   있다.

똑같은 운이라도 강도의 차이가 생기는 이유는 육친 관계, 직업, 이름,
방향, 풍수 등이 다르기 때문이다. 똑같은 상황에서도 운의 변형이 오는
경우가 있는데 이것은 본인이 쌓은 덕목 혹은 상대방과의 변화에 따른
변수라고 할 수 있다.

이러한 변수를 명화론이라고 한다. 시간에도 오행이 있고 풍수에도 오
행이 있으며 가족에게도 오행이 있으며 방향에도 오행이 있어서, 사주는
변화하는 것이지 운명이 없는 것이 아니라는 말이다.

동일한 생년월일시에 태어났어도 부산에서 태어났느냐 서울에서 태
어났느냐에 따라 운명은 변화한다. 또한 풍수, 가족간의 유기적 관계에
따라 얼마든지 변할 수 있다. 주체자의 연동성과 선택에 의해 사주는 변
화한다. 좋은 쪽으로 변화하려면 중화적 삶과 길역(吉易)을 취해야 바른
길로 갈수 있다.

한 번은 매출액이 100억 원이 넘는 유통회사의 사장이 다녀간 일이 있
었다. 그런데 우연하게 이 사장과 똑같은 사주를 가진 사람도 만나본 적
이 있었다. 흥미롭게도 두 사람은 결혼한 시기라든가 성격, 가족 관계 등
은 비슷했지만 한 사람은 유통회사, 한 사람은 무역회사의 사장이었다.

사실 무역회사나 유통회사는 동급으로 보는 게 역학적 견지에서의 정

설이다. 이처럼 간혹 생년월일이 같은 사주를 몇 번 본 적이 있는데 성격이나 직업, 육친 관계가 조금은 차이가 남을 볼 수 있으나 이름이 다르기에 주역작명법으로 보면 다르게 나와 정확한 예단을 할 수가 있었다.

역학 공부는 아무리 해도 그 오묘한 진리를 다 알았다고 할 수 없을 정도로 방대하고 깊다. 선현 역학자들의 학구적이고 초과학적인 역학 연구에 놀라움을 느낄 때가 한두 번이 아니다.

예전에는 기와집을 지을 때만 해도 택일을 받아서 집을 지었다. 집에 기둥을 세우는 것도 날짜를 봐서 기둥을 세웠고, 대문을 달 때도 날짜를 봐서 대문을 달았다. 그래서 그런지 몰라도 집이 오래 되어도 결코 기둥 먼저 허물어지는 경우는 없다.

모르는 사람들은 어찌 인간의 길흉화복을 미리 예측할 수 있느냐고 반문하지만 이는 역학이란 학문의 이치와 깊이를 모르고 하는 말이다. 하찮은 미물도 천재지변이 일어날 것을 미리 알고 살 궁리를 할 줄 아는데 하물며 인간이 미래를 내다볼 줄 모른다는 것은 말이 안 된다.

역학은 우주를 지배하는 음양과 오행의 파장이다. 예전에 서해 페리호 침몰이나 성수대교 붕괴, 삼풍백화점 붕괴 등으로 많은 인명 피해가 있었다. 그 안타까운 희생자들 속에는 그 시간에 그곳에 있어야 하는 사람인데 다른 연유로 그곳에 없어서 불행을 피해간 사람도 있고, 반대로 그곳에 갈 계획이 없다가 갑자기 갈 상황이 되어 목숨을 잃은 사람들도 있다. 운명이란 이런 것이다. 한 사람의 행과 불행은 자기 의지로 되지 않는 세계가 엄연히 존재한다.

만약에 그 즈음에 어떤 사람이 역학자에게 운명 상담을 구했더라면 개인적인 참사를 피해갈 수 있는 조언을 해줄 수 있었을 것이다. 물론 역학자는 신과 같은 존재가 아니고 그 어떤 역학자도 그런 신통방통한 능력을 갖고 있지는 않다.

다만 역학자는 누군가의 인생에서 행, 불행의 시기를 조금 더 빨리 예측함으로써 그 피해를 줄이는 데에 도움을 줄 수 있는 사람들이다. 누군가의 인생에 폭우가 쏟아질 시기라면 그 폭우 자체를 아예 없어지도록 하는 사람이 아닌, 폭우가 예상되니 외출할 때 만반의 준비를 갖추라고 조언을 해주는 사람들이다. 따라서 역학은 운명학이기도 하지만 일기예보와 같은 예방학이기도 하다.

역학자들은 고객이 오면 고객이 온 목적, 고객의 의중, 고객의 비밀 등을 알 수밖에 없다. 그래야만 확실한 답을 해줄 수 있다. 그러기 위해서는 세밀하고 정밀한 추론을 해야 하는데 명학(命學)과 복학(卜學)을 겸하고 있으면 고객의 요구에 좀 더 세밀하게 부응할 수 있다. 주명합산(周命合算)이란 명학과 복학을 겸한다는 말인데, 진정한 술사가 되고자 한다면 주명합산을 할 줄 알아야 한다.

❀ 이름을 지을 때 궁합을 보라

작명학이란 이름을 짓는 학문이다. 소리에는 파장이 있다. 우리는 소음을 들었을 때 정신적으로 괴로움을 느낀다. 심하면 정신적 장애, 수면불안, 불임 등의 원인이 된다. 이처럼 소리는 매우 중요하다.

소리에는 신비스러운 힘이 존재하고 있어 사람이 말을 표현하는 것으로 그 신비스러운 힘이 음령이 되어 사람에게도 영향을 미친다. 성을 뺀 이름에는 파동이 있고 파동은 사람의 마음을 움직이기도 한다. 따라서 좋은 이름을 여러 번 불러주면 좋은 영향을 받게 되고 나쁜 이름으로 자꾸 불리다 보면 그만큼 운에도 막힘이 있을 수 있다.

사주팔자가 선천적인 운명을 좌우한다면 이름은 후천적인 운명을 좌우한다. 따라서 좋은 이름을 갖고 있다는 건 평생 보약을 먹는 것 이상의 효과이다. 작명에는 성과 이름 획수의 밸런스가 중요하다. 이름에는 뜻도 중요하지만 부모가 자식에 바라는 소망이나 희망을 참고 하는 것도 필요하다.

작명시에는 선천운의 장점을 늘려 단점을 커버하는 좋은 이름을 붙이는 것이 중요해지고 있다. 이름풀이 즉 이름의 획수나 밸런스를 보면 어느 정도 그 사람의 성격이나 운세를 헤아릴 수 있다. 아이의 개운을 진심으로 바라는 부모에게 있어서는 신경이 쓰이는 부분이다.

작명학에서 3요소라는 것이 있는데 격(格)과 배치, 소리로서 격이란 원형이정(元亨利貞)을 말하며 천격운 · 인격운 · 지격운 · 외격운 · 총격운이라고도 한다. 배치는 천격운 · 인격운 · 지격운의 3격을 중심으로 음양오행을 사용해 주위로부터의 조력이나 운세의 강약을 보는 것이다.

이름의 획수는 수의 마력이 있어 주역의 원리에 의해 좋고 나쁨을 간명하나 획수뿐만 아니라 세 가지가 다 맞아야 좋은 이름이며 어느 한 가지만 빠져도 그 운은 감소된다고 할 수 있다.

일반적으로는 이름에 딱딱한 소리가 있을 때는 강한 인상을 주며 부드러운 소리가 있으면 그 반대의 인상을 준다. 그러므로 여자아이의 이름에는 부드러운 소리를 사용하는 것이 좋고 사내아이에게는 활발한 인상을 주는 이름이 좋다. 그런데 예외로 사주에 따라 이미지를 달리 할 수도 있다. 강한 사주는 부드러운 이미지로, 약한 사주는 강한 이미지를 줄 수 있는 이름을 부여해 주는 것이다.

어떤 이는 한자의 의미라고 하는 것이 운세에 영향을 주는지 물어보기도 하는데 이름을 지을 때 한자의 의미는 직접적인 영향은 없으나 의미가 흉한 한자는 피해야 한다. 흉할 흉(兇)자를 쓰거나 간(姦)사할 간자가 이름에 들어간다면 당연히 좋을 수가 없다. 또한 이름을 읽고 쓸 때 위화감을 느끼거나 오행음양 등의 문제가 생기는 경우도 있는데 가급적 피해야 한다.

부르기가 이상한 이름이라는 것은 역시 그 후의 인생도 좋다고는 생각되지 않는 듯한 것이 많다. 물론 처음에 지은 이름이 잘못 지어졌다면 불가피하게 개명을 하는 것도 차선책이라 할 수 있다. 그러니 굳이 몇 번씩 이름을 바꾸는 것보다 처음부터 작명을 잘해서 쓰는 게 좋다. 이름은 평생을 함께 하는 건데 무엇으로 불리는가 하는 것이 어찌 상관이 없겠는가.

성명학에서는 남성에게 좋아도 여성에게 나쁜 이름이라고 하는 것도 있다. 예를 들어 합계 획수로 16획 23획 31획 32획은 문제가 안 될 것 같으나 실상은 그렇지 않다. 여성은 소극적이어서 친정에 의지를 하거나 애정운이 약해서 인연이 잘 안 이루어지거나 장녀로 태어나도 장녀 노릇을 못하는 경우가 있다.

그러므로 이름을 지을 때엔 남성에 쓸 획수와 여성에 쓸 획수를 고려해서 한다. 또한 음에도 신경을 써야 한다. 아기의 이름을 지을 때에 '강철'이나 '태양'과 같이 이름을 지었다면 강한 느낌을 받게 된다. 반대로 '지은'이나 '연아'라고 지었다면 약하고 부드러운 인상을 준다.

중요한 건 작명을 할 때에 무턱대고 예쁜 이름으로 짓는 게 아니라 사주를 고려해서 지어야 한다. 개인의 환경과 조건과 사주와 음양의 이치를 조합해서 밸런스를 맞추어 지은 이름이라면 금상첨화이다.

그렇다면 이름이 개인의 운세에 미치는 영향은 얼마나 될까.

어떤 역학자는 이름 하나로 운명 자체를 드라마틱하게 확 바꿀 수 있다고 호언기도 하지만 나는 그렇게 생각하지 않는다. 이름이 나쁘다고 악인이 되거나 될 일이 안 되는 건 아니다. 이름이 모든 운명을 좌우하지는 않는다. 사주, 관상, 풍수, 환경 등에 의해서 운명이 결정되고 이름은 30% 정도의 영향을 미친다고 생각한다.

그러나 한 사람의 운명에서 30% 정도의 비중을 차지한다면 이는 결코 작은 게 아니다. 그러므로 가능한 한 좋은 운세로 바뀌게 하고 싶기 때문에 작명법을 구사해 어린아이의 운세를 좋은 것으로 터주고 싶은 게 부모의 바람이다. 부모는 의식적·무의식 중에 관계없이 그 한자에 아이에게의 생각을 담고 있어 육아 방법에도 그것이 반영된다고 하는 생각이 있다.

사람들은 대개 이름의 중요성을 인식하지 못해서 자기의 기호에 맞게 이름을 짓기도 한다. 자기가 불러 좋으면 된다고 생각하지만 그 뜻이나 어감이 맞지 않으면 아이에게 좋은 영향을 줄 수 없다.

작명할 때 사주를 근간으로 해서 작명을 하는 이유는 이름으로 사주를 보완하여 좋은 운명으로 살 수 있는 사주로 만드는 의미이며 이에 부족오행과 용신오행으로 작명을 한다.

사주는 음양오행인 목(木), 화(火), 토(土), 금(金), 수(水)로 사주가 구성이 되어 있으며 이름은 사주의 기본 기운을 보충하는 부족오행과 장점을 살려주는 용신오행으로 작명을 한다.

자동차에 바퀴가 없으면 바퀴를 장착해 주는 것이 우선이며, 사람의 심장이 약하면 심장기능을 보완해 주거나 강화하는 데에 신경을 써야 한다. 작명 역시 이런 이치이다. 우선 사주를 건강하게 할 수 있는 부족오행으로 작명하는 것이 우선이며, 사주의 장점을 키워주는 용신오행까지 포함하여 작명을 하면 더욱 좋다.

남자 사주에 여자를 재(財)라고 하는데 사주에 재(財)가 없으면 무재사주(無財四柱)라고 하며 결혼만 하면 이혼, 풍파를 겪는다는 사주이다. 여자 사주에 남자를 관(官)이라고 하는데 사주에 관(官)이 없으면 무관사주(無官四柱)라고 하며 결혼만 하면 이혼, 풍파를 겪는다는 사주이다.

사주에 '여자'가 없다고 해서 결혼을 못하는 것이 아니다. 여자와 함께 살아가는 방법을 모르거나 이끌어 갈 능력이 부족하다는 걸 의미한다. 그럴 경우엔 이름에 '여자'를 의미하는 글자를 넣어서 작명을 하여 사주를 보완하는 것이다. 집을 지었는데 기둥이 부실하다면 기둥을 보완해주는 의미와 같다. 이처럼 이름으로 사주를 보완하고 장점을 키워줄 수 있는 이름이 좋은 이름이다.

✿ 작명의 원리

● 음양오행 보완 작명

태극은 음양의 이치를 설명한 것이다. 이름에 있어서 한자의 획수의 홀수와 짝수는 이 햇빛과 그늘에 해당된다. 성명의 획수를 각각 적용시킨 배치를 음양배합이라고 한다. 천지만물 모두 햇빛과 그늘의 균형을 잡히고 있어야만 안정되는 것이며 어느 쪽으로 한편에만 치우치거나 하면 불안정하게 되어 극단적으로 되면 파국을 초래한다.

이와 같이 성명의 획수도 햇빛(홀수)이나 그늘(짝수)의 어느 쪽인지 한 편에만 치우치는 이름은 피해야 한다. 작명시에 짝수로만 되어 있으면 사람이 내성적이고 소극적이며 심하면 음흉하여 알코올이나 마약 중독자가 많으며 하는 일에 실패가 많다. 또한 홀수로만 되어 있으면 사람이 과신하고 경솔하며 일처리에 신중성이 없어 사고, 실패, 이별이 많으며 급사하는 사람이 많다.

음양오행은 주음오행과 자원오행에서 4개의 오행을 보충할 수 있기에 부족오행과 용신오행을 모두 사용하여 작명을 하면 사주보완 및 다가올 운이 좋아지게 하는 의미가 되며 가장 좋은 방식이다.

부족한 오행은 사주에 없거나 부족한 오행을 의미하며 부족오행으로 작명하는 것은 사주의 부족한 오행을 보충하여 다가올 앞날의 운로에 슬기롭게 대처하기 위함이다. 용신이란 사주의 장점을 키워주는 음양오행을 뜻하며 운이 좋아지는 시기에 음양오행을 뜻한다.

용신오행으로 작명하는 것은 발복할 운에 더욱 좋게 발복하라는 의미가 된다. 사주는 자연학으로 사물과 비교하면 나무 크기가 크거나 물(水)과 거리가 먼 산꼭대기의 나무(木)일수록 나무의 크기는 작으나 물(水)을 흡수하는 뿌리의 길이는 길게 자란다. 뿌리의 길게 자라는 이유는 부족한 산 정상의 나무가 생존에 필요한 것은 물(水)이기 때문이다.

용신론으로 보면 목(木) 일간이 목(木)의 개수가 많으면 태강사주(太强四柱), 신왕사주(身旺四柱), 신강사주(身强四柱)라고 하는데 수(水)를 용신으로 사용하는 경우가 드물며 목(木)의 기운이 강해 수(水)의 기운이 꼭 필요하지 않다는 의미이기도 하다. 자연의 이치로 볼 때 나무가 많을수록 수(水)가 더욱 많이 필요하다. 목(木)이 많으면 자연적으로 그 외 화(火) 토(土) 금(金) 수(水)의 오행이 줄어든다.

사주란 사람의 인생이기에 화(火)가 줄어들었다면 옷이 없어 추위에 떨며 현실과 앞날을 살아가는 것과 같으며, 수(水)가 없으면 먹을 물이 없는 것과 같다. 이러한 경우 용신으로만 작명을 한다면 화(火)가 없는 사람은 좋은 운을 맞이하기 위해 옷이 없어 추위에 떨며 앞날을 살아가라는 의미가 되며, 수(水)가 없으면 먹을 물이 없어도 물을 먹지 말고 운이 좋아 질 때를 기다리라는 의미가 되기에 사주보완이란 의미에 위배된다

● 주역 작명

1) 주역은 사서삼경(四書三經)의 3경인 시경, 서경, 역경에서 역경에 해당하며 과거 시험과목으로 나올 만큼 어렵고 오묘한 학문으로 8괘를 근간으로 하며 육효(六爻)는 8괘와 384효를 근간으로 한다.

2) 주역 작명은 주역 납갑으로 보는 방식이 있으며 적중률이 높으나 개별적으로 공부가 많이 필요한 학문이다.

3) 대한민국의 태극기는 주역의 일건천(一乾天), 육감수(六坎水), 삼리화(三離火), 팔곤지(八坤地)와 주역의 내괘와 왜괘의 하늘과 땅으로 만들어졌다.

4) 주역에서 4대 난괘, 즉 택수곤(澤水困), 수뢰둔(水雷屯), 감위수(坎爲水), 수산건(水山蹇)으로의 작명은 가급적 작명에 사용하지 않으나 효(爻)의 내용이 좋으면 남들이 꺼려하는 직종에서 성공하거나 혼란기에 성공하는 사례가 많으므로 사용해도 무관하다.

● 천지동화(天地同和)를 피한다

천지동화라는것은 성은 하늘을 뜻하고 이름은 땅의 기운을 뜻하는데 천지가 똑같다는 뜻이다. 원래 하늘과 땅은 하나라고 주장하는 학자도 있지만 천지는 하나가 아니라 둘이며 음양은 그 활용방법과 성질에서 다르다.

한국의 성씨 중 두 자의 성을 가지고 있는 황보나 제갈, 선우, 남궁 등의 성씨가 성을 합계한 획수와 이름을 합계한 획수가 같은 경우를 천지동화라고 한다. 성씨가 하나인 김, 이, 박 등의 성씨는 하나의 성의 획수와 이름의 획수가 똑같으면 천지동화에 해당된다.

천지동화의 성명의 소유자가 모두 재난이나 사고를 당하거나 범죄자가 되거나 하는 것은 아니지만 예부터 나쁘다고 하고 있어 천지동화가 되는 이름은 피해야 한다.

● 4운(運)이란?

1) 총운

성과 이름의 모든 글자의 각 획수를 합계한 수가 총운의 수이다. 작명을 할 때 가장 먼저 총운이 길한 획수가 되어야 한다. 덧붙여 61획 이상의 경우는 그 획수로부터 60을 뺀 수가 총운이 된다. 총운의 수에 의한 각각의 성격과 운세는 작명풀이 혹은 이름풀이를 실행하는 것으로 안다.

2) 사회운

사회운은 성 아래의 한 자와 이름 위의 한 자의 획수를 합계한 수로 그 사람의 사회적 운세, 친구, 학업, 취직, 사업 등의 인간 관계나 사회적인 성과, 지위를 나타낸다. 남자 이름을 적을 때는 이 사회운을 총운의 다음에 중시해 길한 획수가 되도록 이름을 지어야 한다.
리더십을 취하는 두령운의 11 · 21 · 31획이나 타인의 신망을 모아 성공하는 13 · 23획의 강한 수, 일찍부터 사회에 나와 활동해 직업운이 강한 5 · 15획, 장사에 열심인 17획 등이 남자 이름에 있어서 강한 사회운의 수이다. 4 · 9 · 12 · 14 · 19 · 22획 등이 약한 사회운이나 10 · 20 · 30 · 40획 등이 난폭한 사회운은 남자 이름에는 피하는 게 좋은 수리이다.
여자 이름의 경우도 역시 사회운에 좋은 수리운을 가지는 이름이 바람직하지만 인생운과 사회운과 어느 쪽으로 중점을 두는가 하면 인생운에 길한 회수를 선택하도록 하고 사회운은 평운의 획수를 붙여도 괜찮을 것이다.

3) 인생운

인생운은 총운의 수로부터 사회운의 수를 당긴 나머지의 수이다. 다만 한 자 성이나 한 자 이름인 경우는 그 획수를 더하게 된다. 사회운이 사회와의 관련의 힘 약함을 나타내는 것에 대해 인생운은 그 사람의 사생활, 예를 들어 건강, 수명, 가정생활, 애정 등의 상태를 나타낸다. 결혼생활이나 가정의 상황이 인생의 행불행을 좌우하는 오늘의 여성의 경우에는 사회운보다 인생운의 길흉이 문제가 된다.

특히 위험한 획수라서 작명에 피하고 싶은 수는 10 · 20 · 30 · 40획, 범죄 형벌운의 수인 14 · 34 획수는 질병과 허약의 수리이니 피하는 게 좋다. 인생 운에 범죄, 형벌 운이 있는 사람은 범죄에 관련을 가지기 쉽고 차량을 운전 중에 사소한 부주의부터 사상사고를 일으키거나 기계의 조작 실수로부터 폭발 등 사고를 내거나 하고 형사 사건의 피고가 되는 것도 적지 않다. 14 · 34획 수의 인생운은 병약의 사람이 대부분 요절하는 어린이나 비록 건강해도 돌연 병사하거나 자살하는 사람도 많아 이것 또 주의해 피하지 않으면 안 되는 흉수이다.

4) 복운(福運)

성장운, 발전운이라고도 한다. 복운은 사회운의 수에 이름(성은 제외)의 획수를 더한 수이다. 총운, 사회운, 인생운의 3운이 길수여도 복운에 흉수가 있는 사람은 갑작스런 사고나 재해에 맞는 일이 있다. 아무리 총운, 사회운, 인생운의 3운이 좋아도 이 복운이 흉수인 경우는 그 이름은 피해야 한다. 성장을 지켜 돌발적인 흉운을 피하는 것이 이 복운이다.

❀ 작명 사례

● 주음오행(主陰五行)이 나쁜 이름의 예

어느 날 30대 초반의 남자가 찾아와 자신의 이름을 풀어달라고 해서 주역작명법으로 그의 이름을 풀어 보았다.

그의 이름으로 본 재물운은 보통 사람보다는 높은 편이며 균형을 잡아가면서 착실히 재물을 모아가는 타입이었다. 다만 아쉬운 점은 주음오행이 나빠서 영웅적인 성품으로 열심히 일을 하여도 되는 일이 없고 일시적으로 발전과 성공이 있어도 불운으로 실패를 할 수 있었다.

그리고 평지풍파가 끊이지 않고 가정에도 이별수가 있어 화를 면하기가 어렵고 삼원오행이 나빠서 하는 일에 지장이 많이 생기고 질병도 피할 수 없고 매사에 일이 순조롭게 풀리지 않을 수였다. 질병에 시달리며 생각지 못한 불운으로 풍파를 겪으며 고달프게 살았을 것이고 총운이 19획이라 좋은 운이 하나도 없고 악운이 따를 운이었다.

그 와중에 지모는 뛰어나나 부부의 인연이 약하고 어려운 일이 많이 따르며 집안의 식구들과 아랫사람들을 잃으며 살아온 운이었다.

이렇게 설명을 해주니 그의 입이 딱 벌어졌다. 그 동안 자기에게 돈이 들어오면 한 번에 거액이 들어왔지만 일이 안 풀려서 사업도 쓰러지기 직전이고 아내와도 이혼 직전이라는 것이었다. 그래서 비관스러운 마음에 실의에 빠져 술로 지내다가 심신이 피폐해지면서 병원에서 간과 장이 심하게 나빠졌다는 진단을 받았다고 했다.

그러나 그에게도 불행만이 펼쳐질 운은 아니었다. 잔뜩 의기소침하게 앉아 있는 그에게 말했다.

"너무 실망하지는 마십시오. 지금 당장 큰돈이 들어오지는 않습니다만 2014년부터 재물이 서서히 들어올 것이며 내년에 부동산이나 주식 투자를 해도 좋은 결과가 있을 겁니다. 그러나 단기적 투자는 오히려 손실을 가져다주니 장기적 투자가 중요하며 그 시기는 내년 양력 2월, 3월, 4월, 5월이 좋습니다. 증권은 IT 업종 중에서 우량이면서 저평가된 주식을 고르십시오."

그러자 그의 얼굴이 환해지면서 이렇게 말했다.

"그렇지 않아도 제가 증권에 관심이 많은 걸 알고 부모님이 제게 자금을 대주셔서 주식에 투자할 생각이었습니다."

"그렇다면 잘 되었군요. 어쨌든 용기를 잃지 마십시오. 당신은 미래가 밝은 운명입니다. 평생 다른 사람의 도움 없이도 스스로 재물을 쌓아 가기에 말년에는 별다른 무리 없이 보낼 수 있습니다. 그러나 투자에 너무나 보수적이기에 일정 수준 이상으로는 재물이 늘지 않습니다. 그리고 올해는 재물운이 그리 좋지는 않으니 훨씬 더 많은 노력을 기울여야 하고 금년 겨울에는 지출이나 재물에 조금 손실이 있을 수 있습니다."

그리고 그 다음 해에 그 사람이 다시 찾아왔다. 내 말대로 자중하면서 신중하게 주식 투자를 한 결과 좋은 결과를 얻었다면서 맛있는 식사를 대접하겠다는 것이다. 역학자로서 보람을 느낄 때가 바로 그런 때이다.

● '대한민국'이라는 국호

"4월11일 국호 관제 국무원에 관한 문제를 토의하자는 현순(玄楯)의 동의와 조소앙(趙素昂)의 재청이 가결되어 토의에 입(入)할 새 선(先)히 국호를 대한민국이라 칭하자는 신석우의 동의와 이영근의 재청이 가결 되니라."(대한민국 임시정부 의정원 문서 제2편 임시의정원 회의록 39쪽)

대한민국 국호 제정에 대해서 『조선일보 80년사』에는 이렇게 기술하고 있다.

우리나라의 국호가 대한민국이 되었다는 것은 역대 왕조의 시대가 끝나고 민주주의 공화국이 되었다는 역사적 의미를 지닌다. 우리나라의 국호가 가지는 의미는 그렇다면 어떤 것일까. 그리고 국호로서의 '대한민국'이라는 이름은 어떤 운명을 지니고 있을까.

국운을 연구하는 방법으로는 여러 방법이 있는데 예부터 내려오던 방법에는 하늘의 별자리를 이용하여 풍수해를 입을지, 전란이나 경제의 위기가 찾아올지 등을 알아보는 것이다. 성서에서 예수가 태어날 것을 처음으로 예견한 동방박사도 천문을 연구하는 역학자라고 할 수 있다.

역학은 6,000년이란 세월 동안 많은 역학자들에 의해 발전에 발전을 거듭해서 오늘에 이르렀다. 역학으로 국운을 알아보는 것은 오래 전부터 드문 일이 아니었다. 역학은 주역에 이론에 근거하여 점을 치는 방법으로 주역점, 육효, 기문, 육임, 명리학, 자미, 태을 등이 있다.

그리고 여러 가지 예단법이 있으나 명학의 기본이 되는 작명학이 있다. 작명학은 모든 학문에 기본이 되면서도 매우 광범위한 사안까지도 유추가 가능하므로 국호를 가지고 국운을 알아보는 일 또한 충분히 가능하다.

역학적으로 볼 때 우리나라가 태어난 날은 갑자일에 태어났다. 주역 이론에 근거해서 우리나라는 간방에 위치하여 축일에 해당되나 육십갑자 중 갑축일은 없다. 우리나라의 국호 '대한민국(大韓民國)'에서 '대한'은 자원작명학상(字源作名學) 목금에 해당한다. 그 중에서도 앞 글자인 '대'자가 중요한데 갑목에 해당한다.

과거의 역사나 국민의 성향과 대한민국이라는 국호를 작명학으로 풀어볼 때 우리나라는 갑자일로 흉운은 금수운(金水運)이 흉하고 길운은 목화운(木火運)은 길하다.

국호를 격국으로 논한다면 식신제살격(食神制殺格)에 해당한다. 우리나라는 동방예의지국이라 하여 사람들의 어진 성품은 갑목(甲木)의 특성이요, 성격이 급하고 자동차 사고가 자주 나는 것은 자수(子水)의 특성이나 자수의 특성상 스포츠나 월드컵처럼 붉은 악마의 저돌된 힘과 국민의 단합된 힘을 나타내고 있다.

또한 우리나라는 강인한 생명력이 있어 수많은 외침과 같은 난국을 극복하였으며 IMF에는 전국민적인 금모으기 운동을 전개하여 국가 위기를 이겨낼 수 있었다. 이것은 모두 대한민국이라는 국호가 가진 국운 때문이라 할 수 있다.

● '숭례문'이라는 이름

숭례문이란 이름은 조선시대에 정도전이 지었다. 인의예지(仁義禮智)를 따서 동대문은 흥인문(興仁門), 서대문은 돈의문(敦義門), 남대문은 숭례문(崇禮門)이라고 지은 것이다.

예전에 태조 이성계가 도읍을 정할 때 무학대사와 정도전의 풍수적 식견을 참조해 도읍을 정하였는데 무학대사는 한양을 도읍으로 정할 것을 건의하였고 정도전은 계룡산에 도읍을 정할 것을 건의하였다.

그때 풍수가가 말하기를 한양은 산세가 수려하나 동쪽과 남쪽이 불길하여 외침과 병란이 발생하나 이씨가 500년을 집권할 수 있는 명당터고, 계룡산은 터가 좁으나 200년을 이씨가 집권할 수 있고 병란이나 외침이 별로 없을 거라 했다.

태조 이성계는 후손이 번성하기를 바라는 마음으로 한양에 도읍을 정하게 되었다.그런데 정도전이 한양의 산세를 살펴보니 남쪽에 화(火)의 기운이 강해 외국의 외침이나 병란이 일어날 것이 예견되어서 '숭례문'이라고 이름을 지었던 것이다.

그런데 역학적 관점에서 보면 숭례문은 불과 밀접한 관계가 있다. 북문인 숙청문(肅淸門)이 음방(陰方)으로 여자의 방위라면 남문인 숭례문은 양방(陽方)으로 남자의 방위였고, 8괘로 숙청문은 감(坎)괘로서 물을 뜻하고 숭례문은 리(離)괘로서 불을 뜻한다.

정도전은 숭례문에 화재나 붕괴가 일어나면 국가와 도읍의 운이 다한 것으로 간주하여 멀리 피신하도록 예언했다. 정도전의 예측이 전혀 틀린 것은 아니었다. 그 동안 숭례문은 임진왜란, 한국전쟁, 일제 찬탈의 시기를 거치면서 화가 미쳤었다.

숭례문(崇禮門)은 음양 오행학상으로 이름을 지었는데 '숭'자는 자원 오행학상 토(土)가 되어 남쪽 관악산 화의 기운을 설기 누설시켜 화의 기운을 무력화시키는 이름을 썼고, '례'자는 앞에서도 언급한 대로 오행학상 인(仁)은 동쪽, 의(義)는 서쪽, 례(禮)는 남쪽, 신(信)은 중앙을 가르키는데 이것은 5덕(德)을 표현하기에 '례'를 사용한 것이다.

내 생각에는 관악산의 화기를 잠재울 방법은 숭례문을 빨리 복원하고 숭례문 정문 앞에 해태상이나 코끼리상을 설치하고 대형 분수대를 설치하면 풍수적으로 안정감을 주어 나라가 훨씬 안정을 찾고 평화로울 수 있을 거라는 것이다.

성명 감정 1) 현대그룹 고 정주영 회장

정주영(鄭周永)

丁 庚 丁 乙

丑 申 亥 卯

지장간 戌(辛丁戊) 申(무임경) 亥(무갑임) 卯(갑 을)

부족오행 토(土) 발음 ㅇ, ㅎ

木(乙卯) 火(丁) 土(丑=시지 土로서 가장 약하다) 金(庚申) 水(亥=월지水로 강하다)

용신오행 금(金) = ㅅ, ㅈ, ㅊ 희신 토(土) = ㅇ, ㅎ

부족오행 토(土) = ㅇ, ㅎ

鄭 周(주음 金 자원 水) 永(주음 土 자원 水)

● 결론 ; 부족오행과 용신으로 작명한 이름이다

획수음양 ; 陽陰陽 ; 좋음

주음오행 ; 金金土 ; 좋음

삼원오행 ; 水金火 ; 나쁨

자원오행 ; 水水 ; 좋음

81 수리

13 초년(시작) : 지모격(知模格) ; 좋음

27 중년(과정) : 중단격(中短格) ; 나쁨

24 말년(결과) : 입신격(立身格) ; 좋음

32 총운(대과) : 요신격(樂身格) ; 좋음

불용문자에 해당되지 않아 좋다.

주역명칭 85 지풍승(地風升) 좋음

쾌상태극 쾌상납갑 주역 해설 보통

官 ; 酉

父 ; 亥 命

財 ; 丑 世 [孫午]

官 ; 酉
父 ; 亥 身 [兄寅]
財 ; 丑 應

● 해설 : 착실하게 조금씩 노력해서 성장하며 성공한다. 덕 있는 사
람과 가까이 하고 처세가 능하며 성실하게 노력하므로 주위가 티끌
하나 없이 깨끗하다. 어떤 일의 결과를 보면 생각보다 결과가 크고
부유하게 생활해 간다.

● 주역효 해설 : 어느 것 하나 걸릴 것이 없고 새로운 곳에서 커다
란 성장을 할 수 있는 기회가 주어지나 의기가 통하는 동반자를 잘
만나느냐에 따라서 크게 달라질 수 있다. 작명학에 현대적으로 볼
때 나쁨이 좀 있으나 과거의 사주보완, 자원오행, 불용문자, 주역작
명 위주로 작명을 하였으며 이름에서 좋음이 많은 만큼 정주영 회장
은 순탄했다.

성명 감정 2) 삼성그룹 고 이병철 회장

이병철(李秉喆)
壬 戊 戊 庚

戌 申 寅 戌

지장간

戌(辛丁戊) 申(무임경) 寅(무병갑) 戌(辛丁戊)

木(寅) 火(寅戌) 土(戊戌) 金(申) 水(壬= 시간 水이며 가장 약하다)

용신오행 금(金) = ㅅ, ㅈ, ㅊ 희신 수(水) = ㅁ, ㅂ, ㅍ

부족오행 수(水) = ㅁ, ㅂ, ㅍ 금(金) = ㅅ, ㅈ, ㅊ

* 식신과약(食神過弱) ; 편도질병

● 결론 ; 부족오행과 용신으로 작명한 이름이다

획수음양 ; 陽陰陰 ; 좋음

주음오행 ; 土水金 ; 나쁨

삼원오행 ; 金土水 ; 나쁨

자원오행 ; 木水 ; 좋음

81 수리

20 초년(시작) : 허망격(噓忘格) ; 나쁨

15 중년(과정) : 통솔격(統率格) ; 좋음

19 말년(결과) : 고난격(苦難格) ; 나쁨

27 총운(대과) : 중단격(中短格) ; 나쁨

불용문자

상명자(上名字) [秉] ; 해당 없음.

하명자(下名字) [喆] ; 불용문자 : 명예, 가정, 재물, 대인관계 등에 불리한 한자이다 ; 나쁨

주역명칭 34 화뢰서합(火雷噬嗑) ; 좋음

쾌상태극 쾌상납갑 주역 해설 ; 좋음

孫 ; 巳

財 ; 未 世 命

官 ; 酉

財 ; 辰

兄 ; 寅 應 身

父 ; 子

● 해설 : 지위가 마땅치 않더라도 위치를 확고히 하기 위해 적극적으로 성실히 행동하므로 주위를 편안하고 안락하게 할 수 있다. 마음먹은 대로 과감하게 진취적으로 밀어붙이면 결과가 있고 좋다.

● 주역효 해설 : 강한 의욕이 있고 마음이 밝은 방향으로 향하니 좋으며 위치가 부끄러운 경우에도 품격이 완성된 인물이라는 점도 유망하다. 작명학에 현대적으로 볼 때 나쁨이 많으나 과거의 사주보완, 자원오행, 불용문자, 주역작명 위주로 작명을 하였으며 이름에서 나쁨이 많은 만큼 이병철 회장은 고생을 많이 했다.

대운 · 대박 열어주는 **궁합**

지은이_ 오희규, 김애영, 김정섭, 박규태, 이우산, 김백문
펴낸이_ 조현석
펴낸곳_ 북인
디자인_ 김왕기

1판 1쇄_ 2009년 06월05일
출판등록번호_ 313-2004-00111
주소_ 121-842 서울 마포구 서교동 467-4 301호
홈페이지_ www.bookin.co.kr
전화_ 02-323-7767
팩스_ 02-323-7845

ISBN 978-89-91240-44-5   03810
© 오희규, 김애영, 김정섭, 박규태, 이우산, 김백문

우리 시대 최고의 역학자 10인을 만난다

운명!
바꿀 따를 것인가
것인가

사람들은 불행하고 싶지 않다. 지나간 불행이 또 자신의 발
목을 잡지는 않을지, 현재 닥친 문제가 미래의 행복을 방해하지는
않을지···. 시간이 지나면서 자신은 더 행복해질 수 있을지, 아니면 더 불행
하게 될지···. 그것이 정말 알고 싶은 것이다.

I 홍수연 지음

book*in*

유교, 불교, 그리스도교, 도교, 단군교 진리 비교

종교는 하나다

진수 함상호

bookin